Devocionais para meninas

Devocionais para meninas

Um ano de atividades para turbinar sua fé

SUSANA KLASSEN

MUNDO CRISTÃO

Copyright © 2022 por Susana Klassen

Os textos bíblicos foram extraídos da *Nova Versão Transformadora* (NVT), da Tyndale House Foundation, salvo indicações.

Todos os direitos reservados e protegidos pela Lei 9.610, de 19/02/1998.

É expressamente proibida a reprodução total ou parcial deste livro, por quaisquer meios (eletrônicos, mecânicos, fotográficos, gravação e outros), sem prévia autorização, por escrito, da editora.

CIP-Brasil. Catalogação na publicação
Sindicato Nacional dos Editores de Livros, RJ

k69d

    Klassen, Susana.
    Devocionais para meninas : um ano de atividades para turbinar sua fé / Susana Klassen. - 1. ed. - São Paulo : Mundo Cristão, 2022.
    232 p.; 21 cm.

    ISBN 978-65-5988-146-8

    1. Espiritualidade. 2. Mulheres - Vida religiosa. 3. Literatura devocional. 4. Vida cristã. 5. Conduta. I. Título.

22-79205   CDD: 248.4
                                                          CDU: 27-584

Gabriela Faray Ferreira Lopes - Bibliotecária - CRB-7/6643

Categoria: Devocional
1ª edição: outubro de 2022 | 1ª reimpressão: 2023

Edição
Denis Timm

Revisão
Natália Custódio

Produção
Felipe Marques

Diagramação
Marina Timm

Colaboração
Ana Luiza Ferreira
Daniel Faria
Ricardo Shoji

Ilustração de capa
Leonardo Conceição

Capa
Rafael Brum

Publicado no Brasil com todos os direitos reservados por:

Editora Mundo Cristão
Rua Antônio Carlos Tacconi, 69
São Paulo, SP, Brasil
CEP 04810-020
Telefone: (11) 2127-4147
www.mundocristao.com.br

Sumário

Se liga na ideia! — 9
Seus objetivos para este ano — 12
Três presentes para você :) — 14

O foco do treino é... AMIZADE — 15

Semana 1 — Receita para uma boa amizade — 16
Semana 2 — Amizades são como cogumelos? — 19
Semana 3 — Quero ter um milhão de amigos — 22
Semana 4 — É briga! — 25
   Exercício de fé — Palavras para unir — 28
Semana 5 — Tempo de abraçar e tempo de se afastar — 31
Semana 6 — Afeição + gratidão = par perfeito — 34
Semana 7 — A maior amizade de todas — 37
   Exercício de fé — Café da manhã com Jesus — 40

O foco do treino é... FAMÍLIA — 43

Semana 8 — Família é uma boa ideia — 44
Semana 9 — Essa história complicada de honrar os pais — 47
Semana 10 — As fenomenais frustrações familiares — 50
   Exercício de fé — Hora de falar, hora de calar — 53
Semana 11 — Problemas tamanho GG — 56
Semana 12 — Alguém jogou o plano de Deus pela janela — 59
Semana 13 — Vou morar sozinha! — 62

Semana 14 — Preciso *mesmo* perdoar? 65
Semana 15 — Sua família para sempre 68
    Exercício de fé — A graça de Deus é suficiente 71

O foco do treino é... ESTUDO E TRABALHO 73

Semana 16 — Você é insubstituível 74
Semana 17 — Servir é o máximo! 77
    Exercício de fé — Convite à loucura 80
Semana 18 — E agora, o que eu faço da vida? 83
Semana 19 — Descubra sua vocação, escolha sua profissão 86
Semana 20 — Ah, meu primeiro emprego... 89
Semana 21 — E quanto ao ministério? 92
Semana 22 — Descabelada, sobrecarregada e exausta! 95
    Exercício de fé — Morrer para si mesma 98

O foco do treino é... NAMORO E CASAMENTO 101

Semana 23 — Acho que "estou amando" 102
Semana 24 — Namoro é coisa séria! 105
Semana 25 — Não quero me magoar novamente 108
    Exercício de fé — Conte sua dor para Deus 111
Semana 26 — O príncipe encantado não escova os dentes 114
Semana 27 — Antes de casar, é bom perguntar 117
Semana 28 — Casamento não é contrato 120
Semana 29 — As 1001 utilidades do matrimônio 123
Semana 30 — E se Deus tiver outros planos? 126
    Exercício de fé — A armadura da ajudadora 129

O foco do treino é... SEXO 131

Semana 31 — Por que Deus inventou o sexo? 132
Semana 32 — 100% santa 135

Exercício de fé — O prazer de esperar   138
Semana 33 — É coisa da sua cabeça   141
Semana 34 — Sexo *fake*   144
Semana 35 — Acho que gosto de meninas   147
Semana 36 — Um vilão chamado abuso   150
Semana 37 — O bom sexo no casamento começa hoje   153
Semana 38 — Perdão & salvação   156
Exercício de fé — A glória de Deus no seu dia   159

O foco do treino é... CORPO, SAÚDE E BELEZA   161

Semana 39 — O corpo *não* é seu   162
Semana 40 — Semente e árvore   165
Semana 41 — Você é o que você come?   168
Semana 42 — Ação e adoração!   171
Exercício de fé — Obra de arte de Deus   174
Semana 43 — Quando falta saúde   177
Semana 44 — Onde mora sua beleza?   180
Semana 45 — Diga não à comparação   183
Exercício de fé — Louvar está sempre na moda   186

O foco do treino é... SEU TEMPO LIVRE   189

Semana 46 — Descanso é uma coisa espiritual   190
Semana 47 — Lazer rima com prazer   193
Semana 48 — É possível morrer de tédio?   196
Semana 49 — Diversão para curtir com Deus   199
Exercício de fé — Diga adeus aos ídolos   202
Semana 50 — Nem tudo que cai na rede é peixe!   205
Semana 51 — Ler para crer   208
Semana 52 — O poder da imaginação   211
Exercício de fé — Conheça, confie e descanse   214

Para continuar o treino	217
E aí, alcançou seus objetivos?	221
Quer ler mais?	223
Devocionais extras	
Seu aniversário	225
Páscoa	227
Natal	229

Se liga na ideia!

Corram para vencer.
O atleta precisa ser disciplinado sob todos os aspectos.
Ele se esforça para ganhar um prêmio perecível.
Nós, porém, o fazemos para ganhar um prêmio eterno.

1Coríntios 9.24-25

O mundo dos esportes é cheio de números impressionantes. Alguns atletas são capazes de:

- correr a uma velocidade de 44 quilômetros por hora;
- saltar do solo a uma altura de quase 2,5 metros de altura;
- levantar pesos com mais de 260 quilos;
- mergulhar, sem oxigênio, a uma profundidade de 214 metros.

Embora esses esportistas tenham recebido talentos especiais de Deus, seus recordes incríveis não acontecem por acaso. Para ter sucesso, um bom atleta precisa fazer quatro coisas:

- definir um alvo claro e traçar objetivos específicos para alcançá-lo;
- aprender novas formas de melhorar seu desempenho;
- manter uma alimentação nutritiva, que o fortaleça;
- ter uma rotina de treinos e repetições.

Mesmo que seu "esporte" predileto seja mergulhar nas almofadas do sofá com um pacote de salgadinho, você sabe que é importante alimentar-se bem e exercitar-se a fim contar com energia para alcançar seus objetivos e curtir a vida com mais disposição. Afinal, Deus criou nosso corpo para ter prazer em uma grande variedade de alimentos e atividades.

Deus também criou nossa *alma* para ser nutrida e exercitada todos os dias (e não apenas aos domingos). E, da mesma forma que o bem-estar físico não surge "do nada", uma fé saudável e forte não se desenvolve sozinha.

Este livro vai ajudá-la a aplicar à sua vida espiritual os segredos de sucesso dos atletas:

- ✧ Depois de declarar o alvo maior de sua vida, você definirá objetivos específicos para alcançar esse alvo. No final do ano, avaliará se cumpriu esses objetivos.
- ✧ A cada semana, aprenderá algo novo para turbinar seu relacionamento com Deus.
- ✧ A cada dia, poderá saborear uma porção deliciosa e nutritiva de alimento espiritual da Palavra de Deus.[1] E, assim como alguns alimentos fazem parte do seu cardápio diário, as leituras terão repetições para que as verdades bíblicas se fixem em seu coração e em sua mente.
- ✧ Ao longo de todo o ano, será desafiada com vários exercícios para treinar o que aprendeu.

---

[1] Todas as passagens sugeridas para reflexão foram selecionadas com base na *Nova Versão Transformadora* da Bíblia. Ao fazer suas leituras, dê preferência para uma versão da Bíblia com linguagem atual e fácil de compreender. Outras boas opções são: *Nova Bíblia Viva*, *Nova Tradução na Linguagem de Hoje*, *Nova Versão Internacional* e *Bíblia A Mensagem*.

- Para terminar, descobrirá como manter essa rotina saudável de aprendizado, nutrição e prática.
- Ah, e não se esqueça de acessar o conteúdo extra que preparamos de presente para seu aniversário, Páscoa e Natal. Veja mais na página 225.

Agora, deixe-me contar um segredo: não precisamos depender de nossa garra e força para fazer isso tudo. Temos o auxílio constante do Espírito! Ele é nosso Encorajador (Jo 14.16), que mantém nossos olhos fixos no alvo: um relacionamento cada vez mais próximo com Deus.

E não buscamos desempenho espiritual, do tipo que pode ser medido. *Buscamos intimidade com o Senhor.* Também não estamos numa competição com outros cristãos, para ver quem é mais "santo". Somos todos companheiros de treino, colaborando uns com os outros para alcançar o alvo.

Meu maior desejo é que o Espírito Encorajador lhe mostre claramente que nosso treino diário não é um dever tedioso, mas um privilégio empolgante!

Tenha bom ânimo e coragem, pois você não está sozinha nesse desafio. Tem forças do Deus Todo-Poderoso, apoio de seus irmãos em Cristo e uma torcida magnífica!

> Portanto, uma vez que estamos rodeados de tão grande multidão de testemunhas, livremo-nos de todo peso que nos torna vagarosos e do pecado que nos atrapalha, e corramos com perseverança a corrida que foi posta diante de nós. Mantenhamos o olhar firme em Jesus, o líder e aperfeiçoador de nossa fé.
>
> Hebreus 12.1-2

Seus objetivos para este ano

Como filha 100% amada, aceita e acolhida por seu Pai, seu alvo principal de vida é ter um relacionamento cada vez mais próximo com ele. Ao conhecê-lo melhor, andar mais perto dele e servi-lo, você o engrandecerá e o alegrará e, a cada dia, encontrará prazer maior na companhia dele.

Em oração, pense em ações práticas que você possa realizar para alcançar esse alvo. Por exemplo: ter um período diário de leitura bíblica, manter um caderno com motivos de gratidão, memorizar um versículo por mês, refletir sobre um cântico de louvor a cada semana, fazer um jejum de redes sociais a cada quinze dias, formar um Círculo de Fé (veja mais no final deste livro), realizar uma tarefa doméstica adicional como serviço ao Senhor, orar por um enfermo. As possibilidades são quase infinitas. Deixe o Espírito guiar sua imaginação!

Na página ao lado, anote suas ações práticas. Elas serão seus objetivos para este ano.

Coloque esses objetivos diante do Senhor e declare que, sem a ajuda dele, você não poderá fazer coisa alguma. Lembre-se disso durante todas as etapas do treino!

Três presentes para você

Além das 52 devocionais e dos 14 exercícios de fé que você encontrará nas próximas páginas, preparamos três presentes especiais para você. São devocionais para celebrar seu aniversário, Páscoa e Natal. Você pode encontrar esse material ao final do livro, a partir da página 225.

O foco do treino é...

AMIZADE

Ter bons amigos e ser uma boa amiga são coisas que enriquecem muito nossa vida! Ao mesmo tempo, isso é uma arte que precisa ser desenvolvida com muita paciência e perseverança.

Nesta etapa do treino você vai aprender a:

- ◇ Identificar, iniciar e fortalecer amizades verdadeiras.
- ◇ Colocar um ponto final em relacionamentos doentios.
- ◇ Ser agradecida por seus amigos.
- ◇ Curtir a maior amizade de todas.

Tudo isso, é claro, na companhia do seu melhor Amigo!

SEMANA 1
Receita para uma boa amizade

Se alguém lhe perguntasse do que é feita a verdadeira amizade, como você responderia? Todo bom relacionamento tem vários ingredientes, mas quatro não podem faltar de jeito nenhum:

- ⋄ *Sinceridade*: Na verdadeira amizade não há lugar para máscaras ou tentativas de "ficar bem na fita". Mentir, mesmo que seja por educação ou para não magoar, com certeza *não* é uma opção. Amigos fiéis conversam honestamente sobre as limitações e fraquezas um do outro, e não fazem isso para humilhar ou julgar, mas para ajudar um ao outro a crescer e amadurecer.
- ⋄ *Constância*: Todas as amizades têm fases e movimentos, mas também precisa haver um esforço contínuo das duas partes para cultivar o relacionamento. Uma amiga não gruda em você quando sua popularidade está lá em cima e, depois, dá no pé na hora do aperto. Não faz greve de silêncio ou sai de cena só porque apareceram conflitos. Pelo contrário, amigos verdadeiros se mostram *mais* presentes nos momentos de dificuldade e procuram *mais* diálogo quando surgem desentendimentos.
- ⋄ *Afinidade*: Ter afinidade não é apenas curtir as mesmas músicas, séries, livros e canais do YouTube. É enxergar o mundo de forma parecida em alguns aspectos, mas diferente em outros. Pense em uma orquestra: os diversos instrumentos produzem sons distintos, mas juntos formam a mesma melodia, acompanhando a mesma partitura. Amigos precisam ter objetivos mais amplos ("partituras") em comum.

◇ *Comunhão*: Esse ingrediente só aparece na amizade entre duas pessoas cristãs. É aquela ligação especial que Deus cria entre todos que fazem parte da família dele. Recebemos o mesmo presente da salvação em Cristo, o mesmo perdão dos pecados e a mesma vida para sempre ao lado de nosso Salvador. Quando existe comunhão, a *sinceridade* é temperada com amor e delicadeza e usada para edificar o outro. A *constância* é fortalecida pelo Senhor, para que possamos sustentar o outro nas horas de dificuldade e nos alegrar com ele nos momentos de sucesso. E a *afinidade* é aguçada pelo grande objetivo em comum: conhecer e servir ao Deus que nos criou e nos ama.

Como estão suas amizades? Separe alguns momentos para refletir em que medida esses quatro ingredientes estão presentes em suas amizades.

★ **Alimento para sua semana** ★

Primeiro dia
Às vezes, gostaria de aconselhar amigos, mas tenho medo de chateá-los. Quais são algumas coisas importantes para eu levar em conta ao falar com eles?
★ Leia Provérbios 27.9; 1Samuel 23.15-18.

Segundo dia
Quando vejo uma amiga indo por um caminho errado, geralmente prefiro ficar na minha e não criar confusão. Será que estou certa?
★ Leia Provérbios 27.5-6,17; Hebreus 3.12-13.

Terceiro dia

Tem momentos em que até minhas BFFs parecem chatas. Minha vontade é procurar uma turma nova. O que devo fazer nessas horas?

★ Leia 1Tessalonicenses 5.14-15.

Quarto dia

É tão difícil apoiar amigos que estão passando por tristezas e dificuldades. Onde encontrar ânimo e sabedoria?

★ Leia Salmos 19.7-10.

Quinto dia

Acho lindo o versículo que diz que "o amigo é sempre leal, e um irmão nasce na hora da dificuldade" (Pv 17.17). Mas o que ele significa na prática?

★ Leia Rute 1.1-18.

Sexto dia

Como posso aprofundar a afinidade com meus amigos cristãos?

★ Leia Filipenses 2.1-4.

Sétimo dia

De que maneira meu relacionamento com Deus afeta a comunhão com meus amigos cristãos?

★ Leia 1João 1.3-7.

SEMANA 2
Amizades são como cogumelos?

Escolhemos as amizades ou elas surgem "do nada", feito cogumelos que brotam no gramado depois de uma chuva?

Algumas amizades são iniciadas de propósito. Você vê uma garota que sempre está sozinha no intervalo da escola ou depois do culto na igreja. Puxa assunto e descobre que gosta do jeito dela.

Outras amizades surgem de modo mais espontâneo. Circunstâncias a aproximam acidentalmente de alguém. Um papo superficial se aprofunda e você se identifica com a outra pessoa.

Embora as amizades possam ter esses dois (e vários outros!) começos diferentes, em algum momento, quer tenhamos consciência ou não, tomamos a decisão de levar o relacionamento adiante. Trocamos números de telefone, convidamos para uma atividade, combinamos um encontro. Uma amizade não cresce, portanto, apenas com base em sentimentos. Exige decisões e ações.

Nossas decisões e ações são baseadas em *princípios*, as "réguas" que usamos para avaliar situações e pessoas. Escolhemos *com quem* e *como* nos relacionamos conforme nossos princípios.

Alguns de nossos princípios, contudo, podem ser tingidos por preconceitos. Formamos opiniões precipitadas e distorcidas e agimos em função delas. Outros princípios podem ser influenciados por medos e traumas. Experiências negativas nos levam a usar uma "régua" torta para avaliar as pessoas.

Ao iniciar amizades, a única forma de tomar decisões sábias e agir de modo agradável a Deus é ter um conjunto de princípios corretos. *Formamos princípios corretos à medida que crescemos na intimidade com Deus e no conhecimento de suas instruções para nós.*

Por exemplo, se você acredita para valer que Deus supre todas as suas necessidades, não fará qualquer negócio para se enturmar em um grupo ou conquistar uma amizade. Confiará que, no momento certo, Deus colocará as pessoas certas em sua vida e estará aberta para aquilo que ele lhe mostrar.

Não importa se uma amizade é conquistada com esforço ou se parece surgir espontaneamente, nossas decisões e ações para levá-la adiante precisam ser baseadas em princípios bíblicos.

Essa é a "régua" que você está usando para construir relacionamentos?

★ Alimento para sua semana ★

Primeiro dia

Às vezes, quero me aproximar de alguém que precisa de uma amiga, mas fico acanhada. Onde encontrar motivação para superar a timidez?

★ Leia Colossenses 3.23-24; Gálatas 6.9-10.

Segundo dia

Sei que uma amizade pode brotar rapidamente quando há afinidade. O que fazer, porém, para que ela se fortaleça e seja duradoura?

★ Leia 1Samuel 18.1-4 (veja o que Jônatas fez no versículo 3).

Terceiro dia

Tenho a tendência de me apegar às pessoas simplesmente por medo de ficar sozinha. Quais são algumas promessas de Deus para mim?

★ Leia Mateus 28.20; Filipenses 4.19.

Quarto dia

O que fazer para vencer preconceitos e estar aberta para amizades com pessoas que não fazem parte do meu círculo de convívio?

★ Leia Deuteronômio 10.17-19; João 7.24.

Quinto dia

Tive experiências negativas com amizades no passado. Como superar o medo de me magoar novamente?

★ Leia Salmos 34.1-8; Salmos 103.1-5.

Sexto dia

O que fazer para que minha escolha de amigos seja fundamentada em princípios corretos?

★ Leia Salmos 119.10-11; Provérbios 1.7.

Sétimo dia

Como desenvolver meu conhecimento da Palavra, de modo que ela dirija minhas decisões e ações ao escolher amizades e investir nelas?

★ Leia Deuteronômio 11.18-21; Josué 1.8.

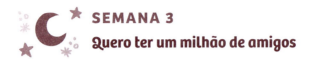

SEMANA 3
Quero ter um milhão de amigos

Você costuma chamar de "amiga" aquela garota com a qual encontra de vez em quando no elevador? Ou a menina que está na mesma turma do cursinho?

Muitas decepções em relacionamentos nascem do fato de não usarmos o termo certo para descrevê-los. Chamamos tudo de "amizade" e depois nos frustramos quando as pessoas não agem como amigas verdadeiras. Nomes são importantes, pois vêm acompanhados de expectativas e responsabilidades.

Relacionamentos têm graus diferentes de intimidade. Uma forma de visualizá-los é pensar em uma pirâmide. Na base estão os conhecidos, desde o atendente na padaria, a manicure no salão ou o instrutor da academia até aquele pessoal das redes sociais que curte seus *posts*, mas que você nem lembra mais por que está na sua lista de "amigos" (por falar em mau uso desse termo...). Um degrau acima estão os colegas com os quais você convive de modo superficial na escola, no trabalho, ou em algum outro ambiente. Depois vêm os amigos (veja Semana 1). E, por fim, lá na pontinha, ficam dois ou três que são verdadeiramente mais chegados que irmãos. Em sua pirâmide, o ideal é que essa posição seja ocupada por outros cristãos, que levam a sério a vida com Deus e têm como objetivo maior servi-lo e engrandecê-lo.

A base mais laga da pirâmide está cheia de conhecidos e colegas; por causa disso, essa base está em constante mudança. Devemos tratar as pessoas que ocupam esse espaço com respeito e amabilidade. À medida que investimos em relacionamentos, algumas dessas pessoas talvez passem a níveis mais elevados da pirâmide. Não devemos, contudo, ter grandes expectativas de compreensão e intimidade em relação à "turma da base". E, portanto, também não é para ela que devemos contar problemas pessoais ou segredos. Guardamos essas coisas para a turminha do topo, aqueles com os quais temos intimidade de alma e que, literalmente, vão estar ao nosso lado para sempre, na eternidade com Deus.

Como anda sua pirâmide de relacionamentos? Peça que o Espírito lhe mostre se está bem organizada ou se você tem misturando as coisas e, por isso, tem se frustrado com seus relacionamentos.

★ Alimento para sua semana ★

Primeiro dia
Por que é importante refletir sobre que eu digo para os outros?
★ Leia Provérbios 10.18-21; 11.13.

Segundo dia
Estou ligada que Jesus conversava com pessoas de todos os tipos, desde líderes judeus e estudiosos das Escrituras até prostitutas e homens corruptos. Que exemplo ele deixou para nós em suas interações com eles?
★ Leia Mateus 9.9-13; Lucas 7.36-50; 19.1-6.

Terceiro dia
Cultivar amizades dá trabalho! Será que Jesus tinha amigos chegados?
★ Leia Mateus 17.1-2; Marcos 5.37; Lucas 8.51.

Quarto dia

Quando fico muito triste, tenho vontade de compartilhar essa tristeza nas redes sociais, para que o maior número possível de pessoas me console. O que Jesus fez em seu momento de maior angústia e dor?

★ Leia Mateus 26.36-38.

Quinto dia

Jesus também tinha amigas próximas? Como era seu relacionamento com elas?

★ Leia Lucas 10.38-42; João 11.1-5; 12.1-7.

Sexto dia

Qual deve ser minha atitude em relação a outros cristãos, quer eles sejam meus amigos chegados ou não?

★ Leia Colossenses 3.9-13.

Sétimo dia

Gosto de prestar serviço voluntário em ONGs e ministérios e ajudar pessoas que não conheço. Tenho dificuldade, porém, em servir a meus amigos mais chegados no dia a dia. Onde encontrar motivação para isso?

★ Leia João 13.1-17.

SEMANA 4
É briga!

Como vimos na Semana 1, bons amigos enxergam algumas coisas de forma diferente. Quando as diferenças se complementam, existe harmonia. De vez em quando, porém, entramos em conflito com alguém que amamos e, se não tomarmos cuidado, uma bela amizade pode ir ralo abaixo.

Conflito não é necessariamente algo ruim. Se soubermos administrá-lo, amplia nossos horizontes e nos amadurece. Precisamos ficar atentas, contudo, para três enganos que transformam conflito saudável em briga feia.

- *Tudo é pessoal.* Uma pessoa e suas opiniões *não* são uma coisa só. Claro que algumas opiniões refletem o caráter de quem as defende, mas todos nós somos muito mais do que aquilo que pensamos sobre determinado assunto.
- *Tudo o que tem a ver comigo é melhor.* Uma ideia *não é* correta só porque concordamos com ela. Isso é arrogância. O arrogante se vê como centro do Universo, o padrão para tudo. A arrogância nos leva a pensar que é nosso dever abrir a mente dos amigos "ignorantes" e convencê-los, a todo custo, a raciocinar de forma "correta" — ou seja, como nós.
- *Tudo é importante.* Nem tudo é fundamental. Algumas coisas são de grande importância; outras não fazem a mínima diferença. Entre esses dois extremos, há várias gradações. É fácil um conflito desandar quando colocamos as coisas erradas no topo da lista. Às vezes, atropelamos o que é essencial para defender o que é secundário. Imagine, por exemplo, cristãos brigando por causa da cor do tapete da igreja. Deu para entender, não é?

A Bíblia nos mostra como combater esses três enganos. Ela tira o foco de nós e volta-o para o lugar certo: a cruz de Cristo. Remove-nos do centro do Universo e coloca ali a pessoa certa: nosso Salvador. E reorganiza nossas prioridades de acordo com o padrão certo: o coração de Deus.

Ela também nos mostra quais são as verdades inegociáveis, mas nos instrui sobre como defendê-las de forma agradável a Deus. E nos ensina que, embora possamos discordar de nossos amigos, as divergências não devem causar separação.

Com a ajuda do Espírito, identifique em quais desses enganos você tem mais facilidade de cair — e fique alerta!

★ **Alimento para sua semana** ★

Primeiro dia
Gosto de ter razão. Quando entro numa discussão não quero sair perdendo, mesmo quando isso prejudica minhas amizades. O que posso fazer para superar essa dificuldade?
★ Leia Filipenses 2.5-8.

Segundo dia
Eu sempre pesquiso informações e reflito antes de formar uma opinião! Por que não posso brigar com amigos para convencê-los de que eu estou certa e eles estão errados?
★ Leia 1João 3.11-19.

Terceiro dia
Vou ser bem sincera: eu me sinto superior a alguns de meus amigos, especialmente quando eles dizem coisas que acho "nada a ver". Como lidar com esse sentimento?
★ Leia Romanos 12.3-10,16-18.

Quarto dia

Por que é mais importante manter a paz e o bom relacionamento do que vencer uma discussão?

★ Leia Efésios 4.1-6; Mateus 5.9.

Quinto dia

Por que muitas vezes não vale a pena nem entrar em discussões?

★ Leia Tiago 1.19-20.

Sexto dia

Onde posso encontrar verdadeira sabedoria para tornar os conflitos produtivos?

★ Leia Tiago 3.13-18.

Sétimo dia

Em que imagens posso meditar quando tiver vontade de comprar briga com amigos?

★ Leia Salmos 133.1-3.

EXERCÍCIO DE FÉ

Palavras para unir

Nossas palavras podem edificar as pessoas ao redor e fortalecer relacionamentos de maneiras incríveis. Ou podem colocar nossos amigos lá em baixo e afastá-los de nós. Muitos conflitos que poderiam ser saudáveis e produtivos acabam se transformando em brigas por causa daquilo que dizemos. Por isso Tiago 3.1-12 trata do poder da língua, o pequeno órgão capaz de causar grande destruição. Se desejamos que as interações com amigos sejam agradáveis a Deus, precisamos ficar atentas ao nosso modo de falar. Também precisamos depender inteiramente da ajuda do Espírito Santo para escolher palavras que tragam crescimento, alegria, consolo, edificação e união.

Como todas as coisas na caminhada com Cristo, *esse é um processo* que exige prática e paciência. Então, que tal começar a treinar hoje mesmo?

Para este exercício você vai precisar de:

◇ Dois pedaços de tecido (podem ser quadrados de 20 x 20 cm)
◇ Alfinetes
◇ Botões
◇ Fita adesiva

1. Converse honestamente com Deus sobre suas dificuldades em relação às palavras. Você gosta de falar da vida dos outros? É respondona? Usa palavrões ou palavras maliciosas? Magoa seus amigos ao dizer coisas sem pensar? Conte isso

para Deus. Ele não está zangado nem decepcionado. Pelo contrário, quer lhe mostrar como receber socorro dele para lidar com essa questão.

2. Passe alguns momentos olhando para os alfinetes. Veja como são pequenos e brilhantes. Toque-os e perceba como são pontiagudos. Pense na dor que causam quando você faz uso deles para ferir alguém. Uma alfinetada no dedo pode ser ardida e produzir uma gotinha de sangue. Uma alfinetada no olho por causar cegueira! Em seguida, volte sua atenção para os botões. Veja como são redondos, lisos, gostosos de tocar. E, quando costurados no lugar certo, com uma casa correspondente, servem para unir duas partes de uma roupa. Lembre-se dessas características dos alfinetes e dos botões.

3. Ao longo da próxima semana, fique atenta para suas palavras. Com o auxílio do Espírito, avalie se o que sai da sua boca é mais parecido com alfinete ou botão. Se você notar que disse algo construtivo para alguém, use um pedacinho de fita adesiva para grudar um botão a um dos pedaços de tecido. Se notar que "alfinetou" alguém com suas palavras, espete um alfinete no outro pedaço de tecido.

4. Sempre que colocar um alfinete no pedaço de tecido, faça uma pausa para refletir sobre o que a levou a usar palavras de modo negativo. Foi por irritação? Inveja? Medo ou insegurança? Vontade de se defender ou de revidar? Peça a Deus que lhe mostre que aspecto da sua velha natureza pecaminosa se manifestou nessa "alfinetada". Peça, também, que ele trate dessa parte de seu coração que ainda precisa ser santificada.

E, sempre que grudar um botão no outro pedaço de tecido, reflita sobre que aspecto da pessoa de Cristo suas palavras refletiram. Você falou com graça, compaixão, perdão, acolhimento? Mostrou bondade, paciência, mansidão? Disse a verdade em amor? Reconheça a mão de Deus, pois foi ele que lhe deu essas boas palavras.

5. Terminada a semana de observação, conte quantos botões há no primeiro pedaço de tecido e quantos alfinetes há no segundo. Não desanime se tiver mais alfinetes. Você está num processo de aprendizado! Separe tempo todos os dias para orar sobre esse assunto. Repita a atividade até começar a observar que o número de alfinetes está diminuindo e o número de botões está aumentando. Quando isso acontecer, agradeça a Deus, pois essa mudança é obra bondosa do Espírito em sua vida!

Com o tempo, você vai descobrir que grudar uma porção de botões no tecido dá muito mais alegria e satisfação que espetar um monte de alfinetes. Unir, consolar e animar outros por meio de suas palavras é um grande presente. Use-o com gratidão!

SEMANA 5
Tempo de abraçar e tempo de se afastar

Você se lembra de amizades que acabaram? Sua BFF se mudou de cidade e vocês perderam contato. Seu amigo da igreja passou no vestibular, arranjou emprego e agora vocês só se falam rapidamente depois dos cultos.

Algumas amizades chegam ao fim de modo sereno e natural, como parte dos movimentos e das estações da vida. Em alguns casos, porém, precisamos colocar um ponto final no relacionamento.

Nem toda amizade é saudável, e quando já tentamos vários remédios mas eles não surtiram efeito, é tempo de nos afastarmos. É uma decisão difícil, mas há pelo menos três "doenças" que podem tornar essa medida necessária.

- *Deficiência de reciprocidade.* O esforço necessário para manter viva a amizade é quase todo de sua parte. Sua amiga passa horas falando só dos assuntos dela. Raramente ou nunca vocês conversam sobre coisas que você curte. E, quando você compartilha uma dificuldade, ela minimiza e fala para você não esquentar a cabeça.
- *Síndrome de capacho.* Sua amiga raramente lhe diz algo positivo. Ela tem mil "sugestões" e "dicas" para melhorar seu visual, seu comportamento e seus relacionamentos. Faz críticas e fala coisas que magoam e, se você comenta que ficou chateada, ela a acusa de ser sensível demais. Em resumo, trata você como capacho.
- *Declínio espiritual.* Você já deve ter ouvido mil sermões sobre o perigo de andar em más companhias. Há um bom

motivo para isso: algumas pessoas realmente não contribuem para nossa jornada com Cristo. Fazem escolhas e cultivam hábitos contrários ao que Deus nos ensina para a glória dele e para nosso bem. E nos incentivam a fazer escolhas parecidas. É impossível manter uma amizade com alguém que a convida ou pressiona continuamente a desobedecer Àquele que é misericordioso e bom, mas também é santo e justo.

As "doenças" acima não são coisas que acontecem de vez em quando no relacionamento. São problemas recorrentes, sobre os quais você já conversou várias vezes com a pessoa, sem que houvesse mudança.

Busque em Deus coragem e forças para interromper, seja temporariamente ou em caráter definitivo, relacionamentos doentios, que não edificam e não são compatíveis com seu compromisso com o Senhor de sua vida.

★ Alimento para sua semana ★

Primeiro dia
Eu sei que as coisas mudam e que, muitas vezes, preciso repensar minhas escolhas e decisões — inclusive nas amizades. O que a Bíblia diz sobre isso?
★ Leia Eclesiastes 3.1-8.

Segundo dia
O que pode caracterizar um relacionamento de verdadeira reciprocidade?
★ Leia 1Tessalonicenses 5.9-11; Gálatas 6.2.

Terceiro dia

Às vezes eu deixo que as pessoas me tratem como capacho porque sinto que não tenho valor. A que verdades devo me apegar para combater esse sentimento?

★ Leia Gênesis 1.26; Salmos 139.13-16.

Quarto dia

Não quero ser uma amiga invejosa ou ciumenta, que mente e fala mal de outros e que lhes dá motivo para desconfiança. O que devo fazer?

★ Leia Gálatas 5.16-26.

Quinto dia

Onde encontrar consolo quando preciso terminar uma amizade doentia?

★ Leia Salmos 86.1-17.

Sexto dia

Eu preciso *mesmo* colocar um ponto final em amizades que não contribuem para meu relacionamento com Deus? Por quê?

★ Leia Provérbios 13.20; 22.24; 1Coríntios 15.33.

Sétimo dia

Tudo bem, já entendi que alguns relacionamentos me levam a tropeçar na caminhada com Cristo. Mas eu gosto muito desses amigos e parece impossível me afastar deles! De que eu preciso me lembrar?

★ Leia 1Pedro 1.13-20.

SEMANA 6
Afeição + gratidão = par perfeito

De vez em quando, todas nós nos queixamos de nossos amigos. Por que não se interessam por nossas coisas como gostaríamos? Por que demoram a responder nossas mensagens? Por que não têm mais tempo para nós?

Se estamos dentro de uma amizade doentia, queixas desse tipo talvez sejam legítimas (Semana 5). Mas, em amizades saudáveis e equilibradas, nossas reclamações podem ser sinal de que nos esquecemos de algumas coisinhas básicas.

Primeiro, não somos o centro da vida de ninguém. Esse lugar de honra, poder e influência pertence somente ao Deus que nos criou. Isso significa que não somos responsáveis por satisfazer todas as necessidades de nossos amigos, e vice-versa. Quando nos sentimos insatisfeitas com eles, muitas vezes é porque estamos procurando neles aquilo que deveríamos estar buscando em Deus.

Segundo, se cremos que Deus supre todas as nossas necessidades, não temos motivo para ficar descontentes. Já somos totalmente aceitas, amadas e acolhidas por nosso Pai. Claro que ele usa outras pessoas para demonstrar essa aceitação, amor e acolhimento. Mas é no tempo e do jeito *dele*.

Terceiro, a energia que gastamos pensando na suposta indiferença de nossos amigos seria muito mais bem aproveitada se a usássemos para orar com mais frequência por eles e para demonstrar amor por eles. Em vez de desejarmos ser o centro da vida deles, é muito melhor ajudá-los a manter Deus no centro!

E, por fim, quando paramos de reclamar de nossos amigos e começamos a *agradecer* por eles, Deus abre nossos olhos para as virtudes dessas pessoas e nos ajuda a perceber como são exemplos para nós. Ele mostra o que está fazendo de bom na vida delas, e isso aumenta ainda mais nossa gratidão.

Ao cultivarmos amizades conforme as instruções da Bíblia, mostramos a glória de Deus para o mundo. Ao sermos gratas, o Senhor nos usa para edificar e fortalecer outros na fé. Que privilégio imenso poder engrandecer a Deus e contribuir para o crescimento espiritual de nossos amigos! A lembrança dessa verdade deve inspirar... — adivinha o quê? Gratidão!

★ Alimento para sua semana ★

Primeiro dia

Que verdades podem me ajudar a lembrar de que não sou o centro da vida de ninguém — e que isso é uma coisa boa?

★ Leia Colossenses 1.15-20 (que fala sobre quem é o centro de nossa vida); Apocalipse 1.8.

Segundo dia

Tenho dificuldade de acreditar, para valer, que Deus sabe do que preciso e que vai suprir todas as minhas necessidades (inclusive de amigos). Como fortalecer minha confiança nele?

★ Leia Mateus 6.25-34.

Terceiro dia

Qual deve ser minha primeira reação quando percebo que estou insatisfeita com meus amigos?

★ Leia Colossenses 4.2; 1Tessalonicenses 5.18.

Quarto dia

Tem dias que me sinto tão pequena e inútil. Será que Deus pode mesmo me usar para edificar meus amigos?

★ Leia 1Coríntios 12.14-27.

Quinto dia
Que motivos de gratidão posso encontrar na vida de meus amigos cristãos?
★ Leia Efésios 1.15-16; 2Tessalonicenses 1.3; Filemom 1.4-5.

Sexto dia
Às vezes me concentro nos problemas que surgem nas amizades e me esqueço das coisas boas. Quais são alguns dos benefícios de andar em boa companhia?
★ Leia Eclesiastes 4.9-12.

Sétimo dia
O que acontece quando crio o hábito de me dedicar a minhas amizades com gratidão?
★ Leia 1Pedro 4.8-11.

SEMANA 7
A maior amizade de todas

Talvez você conheça uma canção que diz: "Em Jesus amigo temos, mais chegado que um irmão". Nosso relacionamento com Jesus tem várias facetas, e a amizade é uma delas. Contudo, não é exatamente igual a nossas outras amizades. Jesus é nosso amigo de uma forma absolutamente singular.

Embora Jesus tenha se tornado humano, continua a ser Deus santo, glorioso e eterno. Nossa amizade com ele precisa, portanto, ter uma boa dose de reverência, que reconhece a superioridade e grandeza dele. Esse temor produz o desejo de agradar e obedecer e inspira enorme gratidão por tudo o que nosso Salvador fez por nós.

Jesus nos conhece e nos aceita do jeito que somos. Podemos sempre ser 100% *autênticas*. Ao mesmo tempo, ele não nos deixa acomodadas em nossos erros e rebeldias. Ele nos confronta, nos desafia e nos fortalece para que cresçamos.

Como amigo perfeito, ele também é absolutamente *constante*. Nunca nos deixa na mão. Às vezes, não sentimos sua presença ou sua ajuda. Mas, assim como em outras amizades, não devemos nos deixar levar apenas por sentimentos. Precisamos nos apegar a fatos. O fato é que Jesus prometeu jamais nos abandonar, e ele cumpre todas as suas promessas.

Jesus vivenciou plenamente a nossa humanidade. Exceto pelo pecado, não existe experiência em nossa vida com a qual ele não seja capaz de se identificar. E ele nos convida e nos conduz para uma sintonia cada vez maior com os interesses e as paixões do coração dele. O grande desejo de nosso Amigo é que tenhamos intensa *afinidade* com ele.

E, graças ao presente da salvação que Jesus nos deu, podemos vivenciar uma ligação especial de *comunhão* crescente com ele aqui na terra e por toda a eternidade. Assim como desenvolvemos hábitos e preferências semelhantes aos de nossos amigos, a comunhão com Jesus nos torna cada vez mais parecidas com ele. Isso alegra imensamente o coração de nosso Amigo, glorifica o nome dele e nos proporciona a mais verdadeira felicidade.

E aí, como anda sua amizade com Jesus. Quanto tempo, esforço e afeto você tem dedicado a esse relacionamento?

★ Alimento para sua semana ★

Primeiro dia

É maravilhoso saber que tenho um relacionamento pessoal de amizade com Jesus. Mas o que me dá esse direito?
  ★ Leia João 15.13-17.

Segundo dia

Gostaria de estudar a vida de pessoas da Bíblia que tiveram esse nível profundo de intimidade com o Senhor. Quais são alguns exemplos?
  ★ Leia Êxodo 33.7-11 (estude Números 12.1-8; Deuteronômio 34.10-12); Tiago 2.23 (estude Gênesis 12—25).

Terceiro dia

Quais são as condições para que eu desenvolva minha amizade com o Senhor?
  ★ Leia Salmos 25.14; João 14.21.

Quarto dia

Que diferença faz o temor do Senhor em minha vida e, especialmente, em minha amizade com ele?
  ★ Leia Salmos 34.9-22.

Quinto dia
Quero viver corretamente dentro dessa amizade com o Senhor, mas muitas vezes parece impossível. Onde encontrar ajuda?
★ Leia Salmos 51.10; 86.11.

Sexto dia
Há períodos em minha vida em que cometo tantos pecados que duvido da presença de Jesus comigo. Ele continua a ser meu amigo apesar de minhas muitas imperfeições?
★ Leia Mateus 28.16-20; 1João 1.8-9.

Sétimo dia
Com a ajuda do Espírito Santo, tenho procurado desenvolver cada vez mais afinidade com Jesus. Como posso ter certeza de que estou me tornando mais parecida com ele?
★ Leia Romanos 6.20-23; Filipenses 1.6.

EXERCÍCIO DE FÉ

Café da manhã com Jesus

Com frequência, ficamos tão imersas nos relacionamentos com outras pessoas que nos esquecemos de desfrutar a maior amizade de todas: a amizade com Jesus.

João 21 descreve um momento especial que Jesus passou com alguns de seus amigos. Leia o texto e imagine como foi gostoso sentar-se junto de uma fogueira na praia e comer pão fresco e quentinho, com peixe assado na brasa. Mais gostoso ainda foi conversar com Jesus e receber seu amor e seu perdão. Calor, alimento, boa companhia, restauração. Uma refeição e tanto!

Que tal preparar um café da manhã especial para si mesma e tomá-lo na companhia de Jesus?

1. Escolha um dia para acordar uma hora antes de sua família. Programe o despertador!
2. Pela manhã, arrume a mesa com uma toalha ou jogo americano bonito. Coloque louças e talheres para dois lugares, um para você e outro para lembrá-la da presença de Jesus.
3. Sirva-se dos alimentos de sempre e, se possível, acrescente algo especial (geleia ou mel? uma fruta? um pão de queijo quentinho? um pedaço de bolo?).
4. Enquanto saboreia bem devagar sua refeição, reflita sobre a presença de Jesus com você. Lembre-se de coisas boas que ele fez em sua vida. Agradeça pelos presentes que ele lhe dá a cada dia. Entregue nas mãos dele suas ansiedades e preocupações. Peça

que ele fortaleça o relacionamento entre vocês. Releia João 21 e imagine detalhes daquela manhã que Jesus passou com seus discípulos.
5. Termine sua refeição com um agradecimento ao Senhor por esse momento especial com ele.

Aproveite e arrume a mesa novamente para o café da manhã de sua família.

Gostou da experiência? Repita sempre que puder!

O foco do treino é...

FAMÍLIA

Conviver com a família é um dilema! A vida é difícil *sem* ela, mas, tem dias que parece impossível entender-se *com* ela.

Nesta etapa do treino você vai aprender a:

- ⋄ Valorizar sua família e honrar seus pais.
- ⋄ Lidar com frustrações e problemas — pequenos e grandes.
- ⋄ Perdoar até mesmo o que parece imperdoável.
- ⋄ Encontrar consolo e alegria em sua família eterna.

Confie nas forças que seu Pai de amor lhe dará e siga em frente!

SEMANA 8
Família é uma boa ideia

Quando você cria algo, seja um desenho, uma música ou um artesanato, mostra um pouco de si mesma. Assim também Deus se manifesta naquilo que ele criou. O Universo revela como o Criador é magnífico, poderoso e bondoso.

Como ponto alto da criação, o homem e a mulher foram formados à imagem e semelhança de Deus para serem companheiros um do outro. E receberam um presente extraordinário: a capacidade de produzir outros seres humanos à imagem e semelhança de Deus! No casamento e na família, portanto, vemos uma faceta muito pessoal de nosso Criador que não aparece em nenhuma outra parte da criação. Por isso a família é uma instituição sagrada, ou seja, algo que aponta claramente para Deus e que é ligado de modo muito próximo ao coração dele.

Para refletir Deus, uma família deve ser constituída de acordo com os padrões definidos por *ele*. O projeto de Deus para a família é que ela seja feita de um homem e uma mulher, comprometidos um com o outro para o resto da vida e que, em geral, têm um ou mais filhos.

Nosso Criador planejou a família para ser uma comunidade segura, onde todos os membros se sintam acolhidos e onde as crianças possam se desenvolver debaixo dos cuidados e da orientação sábia dos pais. Os familiares devem refletir uns para os outros o amor incondicional de Deus e contribuir para o crescimento uns dos outros na fé.

Claro que isso tudo não acontece por mágica. Uma família equilibrada não é feita de boas intenções e sentimentos fofos. Ela é feita da escolha diária de sujeitar-se à direção de Deus e de buscar ajuda dele para viver de acordo com seus propósitos. Todas as famílias são constituídas de seres humanos imperfeitos e pecadores e, portanto, enfrentam conflitos e problemas. Ainda assim, pela graça divina, é plenamente possível construir uma família saudável, em que o Senhor ocupa o centro e abençoa com sua presença e influência todos os relacionamentos.

Em sua bondade e com seu grande poder, o Criador continua a se revelar de maneiras belas e profundas nos relacionamentos familiares, quer sejam biológicos ou de outros tipos, como veremos adiante. Agradeça por isso!

★ Alimento para sua semana ★

Primeiro dia
Será que até mesmo alguém que não conhece a Deus é capaz de enxergá-lo naquilo que ele criou (por exemplo, na natureza, nos seres humanos, na família)?
★ Leia Romanos 1.18-21.

Segundo dia
De que maneira Deus configurou a primeira família, e como isso serve de padrão para nós hoje?
★ Leia Gênesis 2.18-25.

Terceiro dia
Quais eram os propósitos mais amplos de Deus ao criar os seres humanos e estabelecer que vivessem em família?
★ Leia Gênesis 1.26-31.

Quarto dia

Qual é a instrução de Deus para a relação entre pais e filhos — e por que eu devo obedecer a essa instrução?
- ★ Leia Efésios 6.1-4; Provérbios 6.20-23.

Quinto dia

Eu sei que os padrões de Deus são sempre para a glória dele e para o nosso bem. Mas como isso se reflete na instituição da família?
- ★ Leia Provérbios 17.6; Lucas 1.46-50.

Sexto dia

De que maneira a Bíblia valoriza o lugar dos filhos na família?
- ★ Leia Salmos 127.3-5.

Sétimo dia

Como é o amor incondicional de Deus, que deve se refletir no convívio diário da família?
- ★ Leia 1Coríntios 13.4-7.

SEMANA 9
Essa história complicada de honrar os pais

A instrução bíblica para honrar pai e mãe é clara. Lindo e maravilhoso, especialmente para quem tem pais superlegais! Mas, o que fazer naquelas situações em que essa ordem parece quase impossível de obedecer?

Primeiro, é importante entender que a instrução é *para você*. Deus quer fortalecê-la e quer ajudá-la a respeitar seus pais mesmo quando eles erram.

Segundo, respeito e honra não são sentimentos. São atitudes resultantes de decisões. Você pode não gostar de seus pais em alguns momentos e pode até se irar com eles. Mas, com a ajuda de Deus, toma a decisão de obedecer *porque isso agrada a Deus*.

Terceiro, honrar não significa concordar com tudo. Talvez seus pais sejam injustos ou deem ordens que parecem absurdas. Honrar significa pedir sabedoria de Deus para buscar diálogo e expressar suas opiniões de forma respeitosa (sem gritar e sem usar palavras duras), objetiva (concentrando-se nos fatos) e tranquila (sem dar piti). Também significa saber escolher quais sapos engolir e a hora certa de falar.

Quarto, honrar os pais não significa sujeitar-se a humilhação ou a violência física ou abuso psicológico, verbal ou sexual. Se isso acontece em sua casa, peça ajuda a alguém de sua confiança e saiba que Deus lhe mandará o socorro necessário.

Quinto, se você está saindo ou já saiu da adolescência, peça que Deus lhe mostre maneiras práticas de honrar seus pais nessa nova etapa. Às vezes, será necessário envolver-se menos com questões de família, ou mesmo começar a pensar em sair de casa. Pode ser proveitoso, ainda, fazer acordos com seus pais sobre divisão de trabalho doméstico, despesas e espaços. Definir limites de privacidade e respeito mútuo também é honrar pai e mãe.

E, por último, o mais importante: Quando Deus nos dá uma ordem, ele não espera que obedeçamos com nossas próprias forças. Ele é o maior interessado em nos ajudar a cumpri-la. Se Deus ordenou que honremos nossos pais, é porque ele também vai nos dar tudinho de que precisamos para cumprir essa ordem. Afinal, ele é o Pai perfeito, que nos ama, nos acolhe e nos aceita de forma incondicional.

★ Alimento para sua semana ★

Primeiro dia

Eu preciso *mesmo* honrar meus pais, não importa o que eles façam ou deixem de fazer? Que benefícios a obediência a essa instrução proporciona?
- ★ Leia Êxodo 20.12; Deuteronômio 5.16; Efésios 6.1-3.

Segundo dia

Quando for necessário discutir alguma questão com meus pais, qual deve ser minha atitude?
- ★ Leia 1Pedro 3.8-11.

Terceiro dia

Alguns dias, parece impossível seguir a instrução bíblica para ser respeitosa e obediente. Onde encontrar forças para lutar contra minha rebeldia?
- ★ Leia Deuteronômio 31.1-6.

Quarto dia

Que verdades posso trazer à mente quando meus pais me magoarem ou me tratarem de modo injusto?
- ★ Leia Salmos 16.1-11; 140.12-13.

Quinto dia

Confesso que, em algumas ocasiões, não me sinto amada e protegida por meus pais. Que motivação eu tenho para honrá-los apesar disso?

★ Leia Efésios 3.14-21.

Sexto dia

Qual é o resultado de eu confiar em Deus e procurar agradá-lo em primeiro lugar, e não apenas agradar meus pais?

★ Leia Romanos 15.13; Salmos 1.1-3.

Sétimo dia

Sei que não sou capaz de obedecer apenas com minhas forças. O que Deus faz para me ajudar a seguir até suas instruções mais difíceis?

★ Leia João 14.15-17,23-27.

SEMANA 10
As fenomenais frustrações familiares

Se a família foi idealizada por Deus, é natural esperarmos dela afeto, apoio, orientação, aceitação e proteção. Essas expectativas são *legítimas* e não devemos nos sentir egoístas ou culpadas por tê-las.

No entanto, até mesmo a família mais equilibrada é feita de pessoas falhas. Talvez nossos familiares, por mais afetuosos que sejam, não tenham condições emocionais, físicas ou financeiras de suprir nossas necessidades. Muitas vezes, *nós* falhamos e não conseguimos ou não queremos atender às expectativas justas de nossos familiares. Nem sempre somos filhas e irmãs ideais. Não importam os motivos, o resultado de expectativas não preenchidas é sempre o mesmo: decepção e frustração.

Ter felicidade e paz na vida familiar, porém, não significa ser inteiramente livre de decepções e frustrações. Significa saber lidar com elas quando surgirem.

Talvez você tenha suplicado a Deus por algo em relação a sua família um "zilhão" de vezes e ele não tenha atendido. Não desanime, pois essa é uma oportunidade de aprender uma das verdades mais importantes de sua jornada de fé: *a graça de Deus é suficiente.*

Por mais fundamental e legítimo que seja seu pedido, se ele não foi atendido significa que, na realidade, você não precisa disso. Ou significa que Deus vai suprir de modo diferente do habitual. Sabe o vazio que você está sentindo em seu coração? Ele é perfeito para ser preenchido com a graça de Deus. E se o vazio é imenso, significa que existe espaço para *mais graça!*

Sim, é triste quando nossos familiares não podem ou não querem suprir até mesmo as necessidades mais básicas. E quando isso resulta em carências afetivas ou físicas, devemos buscar a ajuda de outras pessoas. Ao mesmo tempo, contudo, devemos confiar que a graça de Deus sempre será suficiente.

Todas as frustrações, das mais corriqueiras às mais profundas, podem se tornar motivo de gratidão quando nos lembramos de que Deus está eternamente disposto a nos dar o presente mais precioso de todos: ele mesmo! Sua presença, sua graça, seu consolo, sua satisfação — podemos contar com tudo isso quando levamos nossas expectativas frustradas para ele e confiamos em sua provisão.

★ Alimento para sua semana ★

Primeiro dia

A Bíblia diz mesmo que a graça de Deus é suficiente ou isso é uma coisa que as pessoas falam só para eu me sentir melhor?
- ★ Leia 2Coríntios 12.1-10.

Segundo dia

De que maneira devo orar a respeito de minhas expectativas em relação a meus pais e irmãos?
- ★ Leia 1João 5.14-15; Lucas 22.39-42.

Terceiro dia

Como Jesus quer me ajudar a lidar com as expectativas que meus familiares não preenchem?
- ★ Leia João 4.5-14.

Quarto dia

Às vezes, a frustração com minha família é tanta que tenho vontade de jogar tudo para o alto. Onde encontrar forças nessas horas?
- ★ Leia Salmos 94.17-19.

Quinto dia

Quais são as consequências de eu andar em obediência a Deus, confiando na suficiência dele e sendo generosa com outros?

★ Leia Isaías 58.11-14.

Sexto dia

O que as decepções e as expectativas frustradas podem me ensinar a respeito de Deus?

★ Leia Salmos 145.14-19.

Sétimo dia

A que verdades Deus quer que eu me apegue firmemente quando me sentir vazia e sozinha?

★ Leia João 6.35; Lucas 6.21.

EXERCÍCIO DE FÉ

Hora de falar, hora de calar

O silêncio é uma arte. Muitas vezes, calar-se é a coisa mais difícil de fazer, mas também é a *melhor* coisa a fazer! Embora o diálogo seja extremamente importante nas amizades, na vida a dois e no relacionamento em família, há momentos em que estamos chateadas demais ou cheias de raiva e, portanto, não temos condições de conversar com outras pessoas de forma proveitosa. Essa é a hora de falarmos somente com Deus e nos calarmos para outros.

Depois que derramamos nosso coração diante de Deus, podemos nos aquietar. E é no silêncio exterior e interior que percebemos com mais clareza a presença e a ação de Deus.

Quer aprender a derramar seu coração com sinceridade, e depois desfrutar silêncio cheio de paz na presença de Deus? Comece com estes passos:

1. Escolha um dia por semana para fazer duas coisas: (1) uma "faxina interior" e (2) um "jejum de conversa". Tenha em mãos algumas folhas avulsas de papel e um lápis. Procure um lugar tranquilo, sem distrações e interrupções.
2. Use o papel para anotar tudo o que está em seu coração. Não se preocupe em escrever de forma legível. Não pense em gramática, sintaxe ou sentido. Apenas "despeje" o que está em seu interior. Quaisquer que sejam os sentimentos ou pensamentos — bonitos, feios, intensos, assustadores — coloque-os no papel. Escreva até sentir que não tem mais nada para expressar.

3. Em seguida, pique o papel em pedacinhos beeeem pequenos. Enquanto faz isso, reflita sobre a maravilhosa verdade de que Deus leu cada uma de suas palavras e não se espantou nem se surpreendeu com elas. Jogue fora os pedacinhos de papel. Respire fundo e agradeça porque você pode derramar seu coração para Deus sem fingimento, certa do amor e da aceitação dele — sempre!
4. Em seguida, separe um período (meia hora ou uma hora, para começar) em que você não falará com ninguém. Avise seus amigos e sua família. Desligue o celular, a televisão e o computador e, se possível, fique sozinha no seu quarto. Use esse tempo para ler a Bíblia ou um bom livro e simplesmente se aquietar na presença do Senhor. No final do período, peça a Deus que a ajude a falar de modo cada vez mais sábio e edificante e a ouvir os outros com mais atenção.
5. Depois de algumas semanas, procure expandir o período de silêncio para momentos em que você convive com sua família. Por exemplo, faça o "jejum de conversa" das 19h até a hora de dormir. Explique para sua família que você falará somente o necessário, se alguém se dirigir a você, mas não oferecerá sua opinião nem fará comentários durante esse período. E fique longe das redes sociais!
6. Uma vez por mês, faça um jejum de telefone, redes sociais e internet por 24 horas. Dedique a Deus o tempo que você gastaria *on-line*.
7. Quando rolar uma discussão com seus pais e você perceber que não vai conseguir conversar com eles de forma calma e respeitosa, faça a "faxina interior" e depois, faça um "jejum de conversa", mesmo que não seja no dia que você definiu de antemão.

Sim, esses passos são difíceis. Portanto, não tente realizá-los com sua própria força de vontade. Peça ajuda para Deus!

Com o tempo, você começará a perceber mudanças. É bem provável que diminuam suas discussões com seus pais e irmãos dentro de casa. Talvez você comece a prestar mais atenção no que outros estão dizendo. Pode ser, ainda, que se torne um pouco mais fácil controlar o apetite por redes sociais e comentários *on-line*.

E, se você usar os períodos de silêncio para ficar conscientemente na presença de Deus, lendo a Bíblia e pensando nele, também notará crescimento em seu relacionamento com ele. Faça a experiência! Você descobrirá que Deus é sua melhor companhia e que também é possível ter comunhão profunda com ele sem palavras.

SEMANA 11
Problemas tamanho GG

Desafios nos relacionamentos fazem parte de nossa vida aqui na terra. Com ajuda de Deus, podemos encontrar soluções criativas ao dialogar uns com os outros e trabalhar juntos para mudar atitudes e ações.

Algumas vezes, porém, boas conversas e pequenos ajustes não são suficientes. Se você tem um familiar que luta com um vício ou com um transtorno mental, por exemplo, sabe que essas dificuldades acabam envolvendo todos ao redor. Mas, só porque os problemas são sérios, não significa que você precisa ser engolida por eles. Algumas verdades podem ajudá-la a sobreviver (e viver!) em meio ao caos doméstico.

- *É importante entender que cristãos não são imunes a transtornos mentais e vícios.* Afinal, todos nós somos uma combinação de corpo e ser interior. Essas duas partes são entretecidas, como os fios de um pano. Portanto, se uma pessoa cristã em sua família sofre de um desses problemas, não a condene nem conclua de imediato que ela está afastada de Deus.
- *É preciso tratamento para certas questões*, como alcoolismo, vício em drogas ou em pornografia, depressão, ansiedade e transtornos alimentares. Se seu familiar não quer receber ajuda de pessoas capacitadas, entenda que você não tem condições de resolver o problema dele. O ditado "santo de casa não faz milagre" é muito verdadeiro! O único que pode realizar milagres é *Deus*. E a maior coisa que você pode fazer por seu familiar é orar fervorosamente por ele, confiando no cuidado soberano do Senhor. Informe-se

ao máximo sobre o problema a fim de saber lidar com ele, mas deixe a solução nas mãos de Deus.

✧ *É fundamental buscar apoio para si mesma.* Peça a Deus que lhe mostre uma ou mais pessoas de confiança com as quais você possa falar dos desafios que enfrenta em casa. Escolha com sabedoria alguém que esteja disposto a ajudá-la sem julgar.

Acima de tudo, saiba que você não está sozinha. Embora Deus permita dificuldades que afetam a família toda, ele pode usar essas circunstâncias para nos aproximar dele. Peça a ele que lhe dê paciência, sabedoria e até senso de humor e saiba que ele ouve e atende de formas extraordinárias!

★ Alimento para sua semana ★

Primeiro dia

Sei que meu pai/minha mãe não tem condições de cuidar de mim como deveria. Onde encontrar consolo para a tristeza que isso traz?

★ Leia Salmos 27.7-13.

Segundo dia

Como Jesus vê essa pessoa problemática em minha família? De que modo isso influencia minha atitude em relação a ela?

★ Leia Mateus 9.35-36; 14.14.

Terceiro dia

De que verdades bíblicas preciso me recordar quando interceder por meu familiar em dificuldade?

★ Leia Efésios 6.17-18; Romanos 12.12; Salmos 55.22.

Quarto dia

Quanto mais eu olho para esse problema em minha família, mais impossível ele parece. Como mudar o foco?

★ Leia Hebreus 12.1-2; Salmos 25.15.

Quinto dia

Já pesquisei e me informei sobre o transtorno ou vício de meu familiar. Já tentei de tudo para ajudá-lo e nada parece resolver. Como lutar contra o desânimo e a vontade de sumir?

★ Leia Isaías 40.25-31.

Sexto dia

Esse problema que minha família enfrenta é um grande peso para mim. Parece que o arrasto comigo para todo lugar. Como me livrar dele?

★ Leia Mateus 11.28-30.

Sétimo dia

Sinto-me envolta no caos doméstico. Será que existe vida para mim além dessa dificuldade em minha família?

★ Leia Salmos 30.1-12.

SEMANA 12
Alguém jogou o plano de Deus pela janela

Notou como quase todos os anúncios de empreendimentos imobiliários trazem a foto de uma "família perfeita"? Pai, mãe e dois filhos, todos arrumados e sorridentes, vivendo na casa própria. Muitos associam felicidade a esse quadro e fazem qualquer negócio para alcançá-la. Mas será que só é possível ser feliz dessa forma?

É verdade que, quando nossos pais não seguem o plano ideal de Deus para a família, a rebeldia deles traz consequências extremamente dolorosas para eles e, muitas vezes, para nós também.

Quem sabe em sua família houve divórcio e um novo casamento. Agora você tem meios-irmãos por parte de pai e/ou de mãe. Talvez você seja filha de mãe solteira. Ou, de repente, foi criada por seu pai, por seus avós ou tios. Talvez tenha sido adotada por um casal homoafetivo e tenha dois pais ou duas mães. Ou talvez, ainda, tenha passado a infância em uma casa de acolhimento, sem família. Nenhuma dessas situações é responsabilidade sua, mas todas elas fogem do ideal de Deus.

Quais as implicações disso para você? Significa que sua vida é amaldiçoada? Que tem um futuro de desgraça e sofrimento pela frente? Que jamais será capaz de construir uma família feliz? A resposta para todas essas perguntas é um sonoro NÃO!

Deus é tão cheio de bondade e misericórdia que ele transforma situações negativas em bem para nós. No meio das confusões nas quais outros nos envolvem, ele nos protege e nos sustenta de formas miraculosas. E, graças à salvação que recebemos em Cristo, experimentamos bênçãos muito especiais.

O fato de você ter nascido em uma família que não corresponde ao ideal divino pode, pela graça de Deus, torná-la mais atenta e sensível para outros na mesma situação. Também pode lhe dar experiência para ajudar quem passa por desafios semelhantes. E pode levá-la a desenvolver intimidade mais profunda com Deus e confiança nele como Pai perfeito, que nunca nos deixa na mão.

Não importa qual seja a história de sua família, *você* tem uma nova história pela frente, escrita e dirigida por esse Pai maravilhoso. Alegre-se e tenha esperança!

★ Alimento para sua semana ★

Primeiro dia
Ouvi falar de uma história de "maldição hereditária". É verdade que Deus castiga os filhos inocentes pelos pecados dos pais?
★ Leia Ezequiel 18.19-22.

Segundo dia
Tenho vergonha da situação de minha família. Como lidar com esse sentimento?
★ Leia Salmos 25.1-3; Salmos 71.1-3.

Terceiro dia
Morro de medo de formar uma família e cometer os mesmos erros que meus pais. De que verdade preciso me recordar para combater esse medo?
★ Leia 2Coríntios 5.14-17.

Quarto dia
Fico triste de ver que minha família está longe do ideal de Deus. O que pode consolar meu coração?
★ Leia Salmos 23.1-6.

Quinto dia

Que garantia tenho de que Deus usará minha situação familiar para o meu bem se eu me apegar firmemente a ele?

★ Leia Romanos 8.26-28.

Sexto dia

Como posso ajudar outros que também vêm de famílias disfuncionais?

★ Leia 2Coríntios 1.3-5.

Sétimo dia

Como ter certeza de que Deus escreveu para mim uma história com um final feliz?

★ Leia Salmos 139.16-18.

SEMANA 13
Vou morar sozinha!

Já pensou em sair de casa? O que trouxe essa ideia à mente? Que sentimentos ela produziu?

Esse desejo pode ser parte natural de seu processo de desenvolvimento. É importante, contudo, refletir com calma sobre suas motivações e sobre os passos necessários para que seu plano dê certo.

Antes de tudo, peça orientação clara ao Senhor e não tome nenhuma providência enquanto não tiver convicção do direcionamento dele. Converse com seus pais e, se possível, peça que orem *por* você e *com* você. Essa espera pode levar meses ou até mesmo anos. Seja paciente e use esse tempo de forma produtiva para:

- *Avaliar a situação financeira.* Seus pais têm condições (ou disposição) de ajudá-la ou você terá de se sustentar sozinha? Que passos você precisa dar para se tornar financeiramente independente? Já tem emprego? Mesmo que seus pais possam ajudá-la, certifique-se de ter alguma fonte de renda.
- *Avaliar os custos.* Junto com seus pais e/ou amigos que já moram sozinhos, faça um orçamento detalhado, com todas as despesas mensais. Não se esqueça de incluir uma reserva para imprevistos. Nunca se coloque em uma situação em que gastará mais do que recebe.
- *Simular uma nova rotina.* Assuma responsabilidade por tudo o que se refere à sua manutenção diária. Lave e passe suas roupas, limpe e arrume seu quarto, ajude na limpeza de cozinha, banheiro e outras áreas da casa. Prepare refeições, troque lâmpadas e botijão de gás. Faça serviços de banco e pague contas *on-line*. Aprenda com outros ou pesquise vídeos tutoriais daquilo que você não sabe fazer.

✧ *Preparar-se para mudanças interiores.* Não importa como seja o relacionamento com seus familiares no momento, uma vez que você sair de casa ele mudará para sempre. Você também passará a ver o mundo de forma diferente. Peça que Deus trabalhe em seu coração, prepare você desde já para essas mudanças e a conduza conforme os propósitos dele.

Quaisquer que sejam as circunstâncias que a levarão a sair de casa um dia, *você nunca estará sozinha*. Apegue-se firmemente ao Deus Todo-poderoso. Ele a conduzirá, fortalecerá, ensinará e lhe fará companhia — sempre.

★ **Alimento para sua semana** ★

Primeiro dia
Tenho vontade de sair de casa, mas quando penso em morar sozinha e fazer tudo por minha conta, sinto um medo enorme. Como lidar com isso?
★ Leia Isaías 41.8-10; Filipenses 4.6-7.

Segundo dia
Como cristã, o que preciso ter em mente ao começar a traçar planos para construir minha vida de forma independente de minha família?
★ Leia Provérbios 3.1-8; 16.1-2; 19.21.

Terceiro dia
O que a Bíblia diz sobre a importância de eu trabalhar para ter sustento?
★ Leia Deuteronômio 8.18; Provérbios 13.11; 2Tessalonicenses 3.10-12.

Quarto dia

Por que é fundamental manter um orçamento e não gastar mais do que recebo?

★ Leia Romanos 13.7-8; 1Tessalonicenses 4.9-12.

Quinto dia

De que preciso me lembrar quando as tarefas domésticas parecerem chatas e cansativas?

★ Leia Salmos 138.3; Provérbios 16.3; 18.9.

Sexto dia

Gostaria de ter definições logo. Como ser paciente nessa fase de espera?

★ Leia Salmos 27.14; Provérbios 21.5.

Sétimo dia

Que verdades podem me sustentar em todos os períodos de grandes mudanças?

★ Leia 2Tessalonicenses 2.13-17.

SEMANA 14
Preciso *mesmo* perdoar?

Todas as interações com outros podem resultar em ofensas que exigem perdão. Mas geralmente é no âmbito familiar que mais precisamos perdoar e ser perdoados. Claro que é muuuuito mais fácil perdoar um desconhecido que pisou no seu pé na fila do ônibus do que um familiar que feriu sua alma. Ninguém disse que perdão é algo simples. Muitas vezes, porém, complicamos a questão ainda mais ao acreditar em ideias equivocadas.

Rejeite estes três mitos sobre o perdão e aprenda a viver em liberdade e graça.

- *É um sentimento.* Muitas vezes, esperamos sentir pena da pessoa que nos magoou ou ter vontade de perdoá-la. É possível, contudo, que isso nunca aconteça. Perdão não é um sentimento, mas sim, uma firme decisão que tomamos diante de Deus, em obediência às instruções dele — quer estejamos a fim ou não, quer a outra pessoa expresse arrependimento ou não. Mesmo depois de perdoar, talvez continuemos chateadas ou tristes. Ainda assim, assumimos o compromisso de não agir em função desses sentimentos.
- *É um processo.* Você já ouviu alguém dizer que "está começando a perdoar"? Isso não existe. Se o perdão é uma decisão, ela é tomada de uma vez por todas. Talvez precisemos nos recordar dessa decisão e nos apegar a ela quando formos tentadas a recordar o que foi perdoado. Mas a decisão já foi tomada, não está "em desenvolvimento".
- *É esquecimento.* Perdoar não é varrer a ofensa para debaixo do tapete. É reconhecer os fatos, por mais dolorosos que

sejam, e lidar com eles do jeito de Deus. É ter consciência de que alguém está em dívida conosco e decidir cancelar essa dívida.

Quando escolhemos não perdoar, a ofensa do outro nos atormenta e nos deixa amarguradas, e damos espaço para Satanás trabalhar em nossa vida. A fim de viver em liberdade, desfrutando a graça e o perdão de Deus, precisamos pedir ajuda dele para confiar em seu controle soberano sobre nossa vida e em sua imensa bondade. Se algo aconteceu conosco, foi porque Deus permitiu. E se Deus é sempre bom, ele tinha um excelente motivo para permitir isso. A escolha de perdoar é intimamente ligada, portanto, à escolha de confiar no Deus de amor que nos perdoou e nos salvou.

★ Alimento para sua semana ★

Primeiro dia
Ouço muitas pessoas dizerem que "perdoar faz bem", como se fosse algo bacana, mas opcional. Onde diz na Bíblia que o perdão é obrigatório?
★ Leia Mateus 6.12,14-15; 18.21-22; Marcos 11.25-26.

Segundo dia
A Bíblia tem algum exemplo do que acontece quando me recuso a perdoar?
★ Leia Mateus 18.23-35; Hebreus 12.15.

Terceiro dia
Eu entendo que não fiz nada para merecer o perdão de Deus. Mas, afinal de contas, por que ele me perdoou?
★ Leia Efésios 1.4-8.

Quarto dia

O que acontece quando Deus me perdoa? Como isso serve de exemplo para mim?

- ★ Leia Salmos 103.8-12; Romanos 5.8.

Quinto dia

Qual é a ligação entre o perdão que recebo de Deus e o perdão que devo oferecer a outros?

- ★ Leia Efésios 4.30-32; Colossenses 3.12-13.

Sexto dia

Por que o perdão é importante em minha luta contra o Inimigo?

- ★ Leia 2Coríntios 2.10-11.

Sétimo dia

O que Deus me ajudará a fazer quando eu tomar a firme decisão de perdoar alguém?

- ★ Leia Lucas 6.27-38.

SEMANA 15
Sua família para sempre

Sabia que você é filha adotiva? Se Jesus é seu Salvador e Senhor, Deus a adotou como parte da família *dele*! Temos motivos de sobra para ser gratas por nossa adoção, pois ela vem acompanhada de muitos benefícios. Veja alguns deles:

- Temos um relacionamento pessoal com um Pai perfeito, bondoso e confiável, que supre todas as nossas necessidades.
- Nosso Pai nos disciplina a fim de que cresçamos e nos fortaleçamos na fé. Para quem está em Cristo, não existem mais "castigos"; apenas oportunidades que Deus usa para nos moldar com amor.
- Temos muitos irmãos e irmãs em Cristo que estão sendo aperfeiçoados no amor do Pai e que nos apoiam e fortalecem na jornada cristã.
- Somos herdeiras junto com Jesus. Nossa mente limitada não é capaz nem de começar a imaginar as riquezas que desfrutaremos na eternidade com Deus. Tudo o que experimentamos de bom aqui na terra é um "aperitivo" dos tesouros que nosso Pai reservou para nós.

Como membros da família de Deus, também temos responsabilidades (que, na verdade, são grandes privilégios) que só cumprimos com ajuda e capacitação do Espírito Santo:

- *Obedecer ao Pai.* Deus é santo, justo, perfeito e digno de todo nosso respeito e obediência. Quando consideramos o tamanho do amor de Deus por nós, o sacrifício que Jesus fez para que pudéssemos nos tornar parte de sua família e as muitas riquezas que temos por meio dele aqui e na eternidade, entendemos que a obediência é uma das melhores formas de expressar gratidão e afeto por nosso Pai.

- *Amar nossos irmãos em Cristo*. Mostramos que entendemos nossa adoção e seus benefícios quando amamos de forma prática os outros membros da família de fé.
- *Refletir Deus para outros*. Como filhas que estão se tornando cada vez mais parecidas com o Pai, devemos refletir sua imagem para as pessoas que ainda não o conhecem. Fazemos isso quando demonstramos, na vida diária, elementos de seu caráter, como compaixão, justiça e graça.

Não importa qual seja a história de sua família biológica, lembre-se de que você faz parte, hoje e para sempre, da maravilhosa família de Deus!

★ Alimento para sua semana ★

Primeiro dia
Como eu posso ter certeza absoluta de que fui adotada para sempre na família de Deus?
- ★ Leia João 1.12; Romanos 8.14-17.

Segundo dia
Afinal de contas, por que Deus resolveu me receber em sua família?
- ★ Leia Efésios 1.3-6.

Terceiro dia
Quais são algumas características de Deus como meu Pai perfeito?
- ★ Leia Salmos 103.13; Mateus 6.26; 1João 3.1.

Quarto dia
É verdade que Deus também me acolhe e protege de modo materno?
★ Leia Isaías 66.13; Salmos 91.4; Mateus 23.37.

Quinto dia
Por que é bom receber a disciplina de meu Pai celeste?
★ Leia Hebreus 12.7-11.

Sexto dia
Que garantia eu tenho da minha herança em Cristo?
★ Leia Gálatas 4.4-7; 2Coríntios 1.21-22.

Sétimo dia
Como posso refletir a imagem de meu Pai para outros?
★ Leia Mateus 5.16; Efésios 5.1-2.

EXERCÍCIO DE FÉ

A graça de Deus é suficiente

Você já pediu várias vezes que Deus removesse alguma dificuldade em sua família e isso não aconteceu? Lembre-se de que Deus é bom e opera para o nosso bem, mesmo quando não compreendemos quando ele diz não para nossos pedidos. E não desanime! A graça de Deus é *sempre* suficiente e ele trabalha com grande poder em meio a nossas fraquezas. Para gravar essa verdade em sua memória, faça o exercício a seguir.

Você vai precisar de:

- ⋄ vidros transparentes com tampa
- ⋄ anilina ou tinta solúvel em água
- ⋄ canetinha preta

1. Na tampa de um dos vidros, escreva com canetinha algo que Deus tem dado em grande quantidade em sua vida (por exemplo, amigos, boas notas, saúde). Encha o vidro com água e coloque algumas gotas de anilina para colori-la. Feche bem o vidro e agite até misturar completamente. Reserve.
2. Na tampa de outro vidro, anote algo que você tem em menor quantidade em sua vida. Coloque água até metade do vidro e use outra cor de anilina.
3. Repita o processo com outros vidros e com quantidades diferentes de água colorida, de acordo com sua percepção do quanto você tem de cada item em sua vida no momento.

4. Pense em algo que Deus não está lhe dando no momento e, para isso, deixe um vidro vazio.
5. Enfileire os vidros com as diferentes quantidades de água colorida. Na frente de cada um escreva "SUFICIENTE". No vidro completamente vazio escreva "GRAÇA".
6. Quando bater tristeza ou insatisfação, use os vidros para se lembrar de que, em Cristo, você tem o suficiente de tudo em sua vida. E, se parece ter uma parte vazia, é porque Deus quer enchê-la com a graça dele!

O foco do treino é...

ESTUDO E TRABALHO

Quer você saiba exatamente o que vai fazer da vida, quer esteja naufragando em um oceano de pontinhos de interrogação, esta etapa do treino é para você!

Nela, você vai aprender a:

- ⬦ Apegar-se à sua razão maior de existir.
- ⬦ Identificar os propósitos específicos de Deus para sua vida.
- ⬦ Lidar com novidades e fases de transição.
- ⬦ Não entrar em pânico quando estiver sobrecarregada.

Confie na direção e provisão do Senhor — e bora trabalhar!

SEMANA 16
Você é insubstituível

Estudar parece mais um presente ou um castigo? Ou é simplesmente algo que você faz em "modo automático"?

Você já deve estar cansada de ouvir que estudar é um privilégio a ser valorizado. Talvez não seja essa a sensação quando você está na aula de matemática, emaranhada numa teia de fórmulas incompreensíveis, ou assistindo àquele vídeo do cursinho em que a língua portuguesa parece ter mais exceções que regras. Nessas horas, pode ser de grande ajuda ter em mente que os estudos são muito mais que um dever ou um privilégio.

Eles fazem parte do treinamento para a missão de vida que Deus traçou para você. Deus já escreveu todos os seus dias e preparou uma porção de aventuras emocionantes para seu futuro. Ele a criou para contribuir de maneiras singulares para aquilo que ele está realizando no mundo. E, para isso, lhe deu uma combinação única de dons e talentos. No reino de Deus, você é *insubstituível*!

As coisas que você está aprendendo na escola, no cursinho ou na faculdade que parecem não ter muita utilidade, os professores antipáticos, os colegas difíceis, as tarefas e os trabalhos exaustivos — nada disso é sem razão. Deus está usando cada um desses desafios para moldar você conforme os propósitos dele e para desenvolver suas aptidões.

Talvez o plano que Deus traçou para sua vida exija muitos anos de preparo acadêmico, pesquisas e diplomas. Talvez exija formação técnica, estágios e muita prática. E talvez esse plano a leve a seguir um caminho incomum e inesperado. Qualquer que seja o caso, sua parte consiste em fazer três coisas:

- ◇ Dedicar-se ao máximo às tarefas que Deus está lhe dando hoje, mesmo que essas tarefas não pareçam muito empolgantes.
- ◇ Estar aberta para o próximo passo que Deus vai lhe mostrar e que pode ser algo dentro do esperado ou pode ser totalmente surpreendente.
- ◇ Consagrar a Deus os talentos que ele lhe deu, pedindo que ele os aperfeiçoe e os multiplique para que você possa servi-lo de forma única.

Mesmo que você esteja enfrentando desafios gigantescos nos estudos, não se deixe vencer pelo desânimo. Lembre-se de que eles a estão preparando para desempenhar seu papel singular no reino de Deus.

★ **Alimento para sua semana** ★

Primeiro dia
A Bíblia tem algum exemplo de como Deus usa os estudos a fim de nos preparar para cumprir seus propósitos no mundo?
★ Leia Daniel 1.

Segundo dia
Qual deve ser minha atitude diante de matérias e tarefas que não parecem ter muita utilidade para meu futuro?
★ Leia Colossenses 3.22-24.

Terceiro dia
O que a Bíblia diz sobre adquirir conhecimento e sabedoria debaixo da direção de Deus? Como isso pode me animar a estudar?
★ Leia Provérbios 18.15; 23.12.

Quarto dia

Sei que existem várias razões para eu me esforçar em meus estudos, mas qual deve ser a motivação fundamental de tudo o que eu faço?

★ Leia 2Coríntios 5.14-15.

Quinto dia

Por que preciso ser receptiva para aquilo que Deus quer me ensinar nesta etapa de minha vida?

★ Leia Provérbios 9.9-10.

Sexto dia

Que garantia eu tenho de que Deus me ajudará a cumprir a missão que ele preparou para mim?

★ Leia Jó 42.1-2.

Sétimo dia

Qual é a fonte do conhecimento mais essencial para que eu tenha uma vida agradável a Deus?

★ Leia Colossenses 2.1-3.

SEMANA 17
Servir é o máximo!

Se você sonha em ser uma profissional de destaque, saiba que Deus nos mostra o caminho para o sucesso — e ele é beeeem diferente daquilo que nossa cultura propõe!

Agora que você já sabe que é insubstituível no reino de Deus, também precisa saber que recebeu seus talentos singulares para servir outros no mundo conforme os propósitos divinos. *Servir* significa "trabalhar em favor de outros". Como veremos na Semana 19, na hora de escolher uma profissão é fundamental levar em conta que fomos criadas para servir ao Senhor e a outros.

Os melhores profissionais, que verdadeiramente deixam sua marca na área em que atuam, são aqueles que têm uma atitude de serviço. Não importa quão competente uma pessoa seja, se ela trabalha apenas para alcançar os próprios interesses, nunca receberá a aprovação de Deus, mesmo que receba aplausos do mundo.

Quer trilhar o caminho para o verdadeiro sucesso e aprender a servir? Siga estes três passos:

- ✧ *Imite o exemplo de Jesus.* Ele foi o servo ideal. Embora tivesse mais competência, sabedoria, poder e autoridade que qualquer outra pessoa, sempre foi humilde, gentil e compassivo. Ele entregou sua vida para trazer glória a Deus.
- ✧ *Saiba quem você é e o que você tem.* Jesus tinha uma identidade bem definida: Filho de Deus, Salvador e Senhor. Não se sentia inseguro e não precisava se impor. E, como sabia que o Pai supriria tudo de que ele precisava, podia se dedicar a atender às necessidades de outros. Você é filha amada de Deus. Nele, tem tudo de que precisa. Sua identidade e provisão estão seguras.

⋄ *Aprenda na prática.* Não existe um curso teórico de serviço. É algo que aprendemos na prática. Se deseja se preparar bem para sua missão de vida, sirva a outros onde você está agora: ajude colegas nos estudos, auxilie sua família nas tarefas domésticas, visite idosos e enfermos, dedique tempo ao voluntariado. Quando esses trabalhos são feitos com dedicação ao Senhor, alegram o coração dele e fortalecem você para as boas obras reservadas por Deus para seu futuro.

Dedique alguns momentos a avaliar sua disposição de servir e convide o Espírito a torná-la imitadora de Cristo nesse aspecto.

★ **Alimento para sua semana** ★

Primeiro dia
Que princípio bíblico está por trás da ideia de que devo usar meus talentos para servir ao Senhor e cumprir seus propósitos no mundo?
  ★ Leia 2Coríntios 5.15-16.

Segundo dia
Quais são alguns exemplos bíblicos de pessoas que usaram seus talentos para servir outros?
  ★ Leia Atos 9.36-41; Filipenses 2.19-23 (Timóteo era bem jovem quando começou a trabalhar).

Terceiro dia
De que maneira Jesus exemplificou uma atitude de serviço que eu devo imitar em minha vida profissional e em todas as outras áreas?
  ★ Leia Filipenses 2.3-8.

Quarto dia

Qual a relação entre ter consciência de minha verdadeira identidade e ter disposição de servir?

★ Leia João 13.3-5.

Quinto dia

Por que tenho liberdade de servir outros sem me preocupar com minhas necessidades?

★ Leia Salmos 23.1; Filipenses 4.12-19.

Sexto dia

Onde posso encontrar ânimo para aprender a servir na prática?

★ Leia Mateus 5.13-16; 1Coríntios 15.58.

Sétimo dia

O que Jesus pede de mim como sua discípula (e que eu devo fazer com a ajuda do Espírito) em todos os aspectos de minha vida, o que abrange a escolha de uma profissão?

★ Leia Lucas 9.23-24.

EXERCÍCIO DE FÉ

Convite à loucura

Para começar este exercício, leia com atenção 1Coríntios 1.26-28; 3.18 e reflita sobre essas passagens com calma. Nelas, Paulo explica que Deus cumpre seus propósitos por meio de coisas que o mundo considera loucas, absurdas ou insignificantes.

Enquanto o mundo nos chama a fazer de tudo para alcançar o topo, Deus diz que só encontramos verdadeira satisfação quando nos sujeitamos a ele e servimos outros. Enquanto o mundo diz que só os grandes, ricos e belos têm influência, Deus revela sua grandeza, riqueza e beleza em meio a nossas imperfeições. E, enquanto o mundo cobra uma porção de coisas de nós (desempenho, aparência, desenvoltura, popularidade), a única coisa que Deus pede é que nos entreguemos inteiramente a ele, confiando em seus bons propósitos.

Quando consideramos esses contrastes, não é de admirar que as instruções de Deus para todas as áreas de nossa vida (estudos e trabalho inclusive) pareçam "loucura" para a sociedade ao nosso redor. Na realidade, porém, seguir essas instruções é a coisa mais sábia e saudável que podemos fazer.

Uma parte importante dessa "loucura" consiste em desenvolver uma forma de pensar como a de Cristo. Para isso, precisamos comparar *tudinho* que vemos e ouvimos com as verdades fundamentais das boas-novas. (Veja um resumo dessas verdades em Romanos 8.) Pensar desse jeito "louco", em harmonia com a mente de Cristo, exige prática. Aqui vão algumas sugestões para treinar sua mente:

1. Depois de ver uma notícia ou artigo, faça uma pausa e peça ajuda do Espírito para identificar a mensagem por trás do que foi apresentado. Tudo tem uma mensagem! Fique atenta, ainda, ao que você ouve de seus professores e em aulas em vídeo. Até mesmo dicas para o ENEM e o vestibular e para se sair bem na faculdade e na vida profissional têm uma mensagem. Durante aulas e palestras, anote frases-chaves para refletir sobre elas à luz da Bíblia quando você estiver a sós com Deus.
2. Depois de identificar a mensagem daquilo que você viu ou ouviu, compare-a com as verdades bíblicas. Por exemplo: Muitos vídeos e palestras motivacionais dizem que quem faz seu futuro e garante seu sucesso é você. Só precisa ter garra e perseverança. No entanto, a Bíblia afirma que nosso futuro está nas mãos de Deus (Sl 31.14-15) e que o sucesso não é resultado apenas de nos esforçarmos, mas de confiarmos no Senhor (Pv 28.25).
3. Quais são outras mensagens que você ouve com frequência sobre seus estudos e sua futura vida profissional? O que a Bíblia diz a respeito delas? Anote essas mensagens em um papel, pesquise *on-line*, em Bíblias de estudo e comentários quais são os princípios bíblicos que se aplicam a elas. Converse com seus pais, discipuladores e líderes da igreja sobre essas questões.

Em todas as suas avaliações e escolhas, sejam elas de profissão, entretenimento ou vida afetiva, Deus chama você a pensar com a mente de Cristo, mesmo que pareça loucura. Para se lembrar disso, faça o seguinte:

1. Providencie um pedaço de plástico/acetato (você encontra em locais que fazem encadernação) do tamanho de um telefone celular.

2. Com uma canetinha colorida, desenhe sobre o plástico um coração grande.
3. Da próxima vez que ler ou assistir algo (seja para estudo, trabalho ou lazer), coloque essa folha transparente sobre o papel ou sobre a tela por alguns instantes. Feche os olhos, respire fundo e peça para Deus ajudar você a ver esse conteúdo através da verdade, do amor e do cuidado dele.
4. E ao fazer essa atividade, se alguém perguntar se você ficou doida, diga sim! :)

Essa "loucura" será sua garantia de percorrer o caminho certo, que traz satisfação profunda em Deus e alegria verdadeira em todas as áreas da vida e em meio a qualquer circunstância.

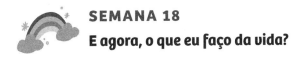

SEMANA 18
E agora, o que eu faço da vida?

Poucas coisas são mais assustadoras que um período de transição. É como se estivéssemos em um navio que deixou para trás o porto de origem, mas ainda está distante do porto de destino. Olhamos ao redor e vemos apenas um extenso oceano de incertezas.

Se você está passando por uma fase de transição (mudança de escola ou cidade, fim do ensino médio, começo da faculdade, por exemplo), é porque deixou para trás a segurança de velhas amizades e de rotinas conhecidas e ainda não se ajustou à sua nova realidade ou não está plenamente inserida na próxima etapa de sua vida. Talvez esteja em dúvida sobre qual profissão seguir (veja Semana 19). Ou, talvez, já tenha definido uma carreira, mas não saiba todas as implicações dessa decisão.

Se a ansiedade começar a crescer e você imaginar que está naufragando em um mar de indefinições, não entre em pânico. Há três boias salva-vidas às quais você pode se agarrar:

- *Não é para sempre.* Se a próxima etapa de sua jornada está escondida atrás de uma névoa densa, confie que Deus vai dissipá-la no momento certo. Uma *fase* é algo que tem começo, meio e fim — e o Senhor vai sustentá-la até o fim!
- *Você não está sozinha.* Parece que todos os seus amigos e colegas sabem o que vão fazer da vida, menos você? Pode ter certeza de que não é o caso. Até mesmo os que parecem mais decididos e seguros de si têm momentos de dúvida. E, na verdade, essa dúvida pode ser uma coisa boa, quando nos faz correr para Deus e buscar a direção dele.

✧ *É um tempo de oportunidades.* Suas dúvidas e incertezas são oportunidades não apenas de se apegar mais a Deus, mas também de vê-lo abrir novas opções em seu horizonte. Se você se mantiver aberta para aquilo que ele quer mostrar, talvez se surpreenda com os planos incríveis que ele já traçou para você. Só nos tornamos conscientes da direção do Espírito quando reconhecemos que não estamos no controle.

Deus não está esperando você de braços abertos no seu destino. Ele está pilotando o navio e conduzindo-a firmemente a tudo o que ele já preparou para sua vida. Creia nisso e encontre paz até mesmo nos períodos de maior incerteza!

★ Alimento para sua semana ★

Primeiro dia

Qual é a primeira coisa que eu preciso fazer durante um período de transição?

★ Leia Salmos 37.1-7.

Segundo dia

Quais são algumas verdades das quais preciso me lembrar quando me sentir angustiada com indefinições?

★ Leia 2Coríntios 4.16-18.

Terceiro dia

Que promessas Deus tem para mim naqueles momentos em que parecer que só eu não sei direito o que quero da vida?

★ Leia Jeremias 29.10-14 (o povo de Judá estava vivendo em um período de indefinição).

Quarto dia

Como posso ter convicção de que Deus está conduzindo cada dia de minha vida?

★ Leia Salmos 139.7-12.

Quinto dia

De que forma as dificuldades desse período de incerteza podem ser oportunidades de crescimento?

★ Leia Tiago 1.2-4.

Sexto dia

Com que tipo de ajuda eu conto quanto preciso esperar por definições e quando preciso tomar decisões?

★ Leia João 14.26; Romanos 8.14.

Sétimo dia

Por que não preciso ficar ansiosa e angustiada quando meu caminho parecer escuro e incerto?

★ Leia Salmos 119.105-107.

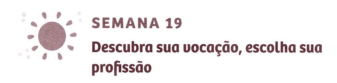

SEMANA 19
Descubra sua vocação, escolha sua profissão

Sabe aquelas listas de "profissões que estão bombando"? Embora ajudem a entender o mercado de trabalho, não devem, de maneira alguma, dirigir sua escolha de ocupação.

Como cristãs, recebemos direção do Espírito para identificar nossa vocação e escolher uma profissão de acordo com os padrões bíblicos que, aliás, não têm nada a ver com as ideias de sucesso e prosperidade do mundo (Semana 17).

Ao pensar em sua vida profissional leve em conta, portanto, os seguintes itens:

- *Vocação.* Esse é seu "chamado". Não é algo que você escolhe, mas sim, que recebe de Deus. É o campo no qual ele a chama para servi-lo e é ligado aos talentos que ele lhe dá e às necessidades específicas no mundo que ele deseja suprir por meio de seu trabalho. Uma pessoa com vocação para o ensino não precisa, obrigatoriamente, ser professora. Pode ser treinadora, consultora, escritora, e mil coisas mais. Com a ajuda de cristãos maduros, analise seus talentos e peça que Deus lhe mostre sua vocação. Não espere uma revelação detalhada, apenas uma área ampla de atuação. Testes vocacionais também são uma ótima ferramenta que Deus provê. Use-a!
- *Oportunidades de serviço.* Identifique profissões exercidas em sua área. Avalie quais lhe darão mais oportunidades de servir outros de acordo com seus talentos. Pense, também, em problemas que você enxerga na sociedade e em como sua profissão pode ajudar a amenizá-los.

- *Possibilidade de mudanças.* Você não precisa (nem deve!) planejar sua carreira até o fim de seus dias. Peça a Deus que lhe mostre o ponto de partida. É possível que, ao longo da vida, você exerça sua vocação de diversas maneiras.
- *O inesperado.* Não se assuste se Deus a direcionar de modo contrário à maré de nossa cultura. Talvez você resolva não fazer faculdade, ou escolha uma ocupação que tem poucas mulheres, ou queira se dedicar a uma profissão pouco rentável. Lembre-se de que a vida com Deus é um "convite à loucura".

Por fim, embora o trabalho seja o principal meio de provisão usado por Deus, salário, benefícios e prestígio não devem ser sua consideração principal. Deus proverá de modo fiel e generoso. Confie sempre!

★ Alimento para sua semana ★

Primeiro dia
Por que Deus me criou, me deu talentos específicos e me chamou para andar com ele?
- ★ Leia Efésios 2.1-10.

Segundo dia
Quais são as três coisas que Deus quer que eu faça ao exercer minha vocação com o auxílio dele?
- ★ Leia Miqueias 6.8.

Terceiro dia
Como posso orar a Deus ao analisar as possibilidades de estudos e carreira diante de mim?
- ★ Leia Salmos 25.4-6.

Quarto dia

Em que promessa eu devo me firmar quando tiver de tomar decisões sobre minha vida profissional?

★ Leia Tiago 1.5-7.

Quinto dia

O que preciso ter em mente ao planejar os passos iniciais de minha carreira?

★ Leia Provérbios 16.1-3.

Sexto dia

E se Deus me dirigir a fazer algo diferente da maioria? Onde encontrar força para nadar contra a maré?

★ Leia 1Coríntios 1.25; 3.19-23.

Sétimo dia

Por que o sucesso financeiro não deve ser minha maior preocupação na hora de escolher uma profissão?

★ Leia 1Timóteo 6.6-10. Eclesiastes 7.12.

SEMANA 20
Ah, meu primeiro emprego...

Se você está cogitando entrar no mercado de trabalho ou se está à procura de emprego, tenho uma ótima notícia! Você não precisa impressionar o entrevistador, se destacar de outros candidatos e conquistar uma vaga. Seu trabalho é simplesmente *descobrir* o que Deus reservou para você. Ele já preparou tudo! Talvez leve tempo, exija persistência, coragem e humildade, mas será uma busca por algo que já existe e está guardado para você, esperando ser encontrado no tempo perfeito de seu Pai.

Tudinho que temos é presente de Deus, que ele nos dá pela graça. Isso significa que não recebemos coisa alguma porque merecemos ou porque fizemos tudo certinho. Portanto, quando for a uma entrevista de emprego, lembre-se de que está indo acompanhada pela bondade de Deus, para descobrir se aquela é a vaga que ele preparou para você.

Quando a graça bondosa de Deus é seu ponto de partida, as questões práticas desse processo inicial se tornam menos assustadoras. Você elabora seu currículo, pesquisa empresas, prepara-se para entrevistas, veste-se com bom senso e procurar ser agradável porque entende que todas essas etapas são *meios* usados por Deus para lhe dar um emprego. E, ao começar a trabalhar, você se dispõe a aprender, segue instruções sem se queixar e procura ser amigável com os colegas não apenas para agradar outros, mas principalmente como expressão de gratidão e obediência a Deus. Enxergar seu trabalho pela ótica da graça e do serviço a Deus muda tudo!

Uma vez que todo trabalho honesto e feito com dedicação é uma forma de adorar ao Senhor, você descobre que não há nada de errado em realizar tarefas que outros talvez considerem "inferiores". Descobre, também, que seus afazeres, sejam eles dentro ou fora de casa, remunerados ou não, são um ótimo treinamento em responsabilidade, seriedade, pontualidade e outras virtudes que a ajudarão em sua futura vida profissional.

Portanto, não se aflija se parecer que seu primeiro emprego não tem nada a ver com sua vocação. Ele é um presente de Deus e contribuirá, de algum modo, para o plano maior de sua vida.

E aí, está pronta para arregaçar as mangas?

★ Alimento para sua semana ★

Primeiro dia
Qual é um exemplo bíblico de capacitação por Deus para realizar uma atividade profissional? De que forma isso me dá ânimo ao sair à procura de trabalho?
  ★ Leia Êxodo 31.1-6.

Segundo dia
De acordo com a Bíblia, que companhia constante eu tenho, inclusive nas entrevistas de trabalho?
  ★ Leia Salmos 16.8; 23.6.

Terceiro dia
De que preciso me lembrar quando Deus me der meu primeiro emprego ou uma oportunidade de trabalho?
  ★ Leia 1Coríntios 4.7; Tiago 1.17.

Quarto dia
Por que não preciso me sentir insegura e ansiosa ao começar a trabalhar?
  ★ Leia Salmos 18.31-36; 144.1 (lembre-se de que Davi era, por profissão, soldado e guerreiro).

Quinto dia

O que devo ter em mente nesse momento em que estou ingressando em uma área nova e adquirindo conhecimentos e aptidões?

★ Leia Provérbios 19.20-23.

Sexto dia

Qual deve ser minha atitude em todos os trabalhos que realizo, sejam eles remunerados ou não?

★ Leia Eclesiastes 9.10; Colossenses 3.23-24.

Sétimo dia

Se Deus me dirigir para um emprego, por que não preciso ficar ansiosa com o salário que me oferecerem?

★ Leia 2Coríntios 9.8.

SEMANA 21
E quanto ao ministério?

Qual é a primeira coisa que lhe vem à mente ao ouvir a palavra *ministério*? Atividades da igreja, trabalho pastoral ou missionário? De fato, essas são formas de ministrar a outros, mas o ministério é algo muuuito mais amplo.

Ministrar quer dizer "servir". Se Deus nos criou para servi-lo, e se ele nos chama para atuarmos em diferentes áreas (veja a Semana 19) conforme os talentos e habilidades que nos dá, significa que o ministério é exercido em uma infinidade de lugares, começando pelo nosso lar e expandindo-se até os confins da terra. Realizamos a obra de Deus nas tarefas que ele coloca diante de nós todos os dias, dentro e fora da igreja. O convívio com colegas na escola e no trabalho, por exemplo, é cheio de possibilidades de ministério de auxílio, evangelismo e instrução. A interação com familiares é um grande campo ministerial de amor prático, de compaixão e de mil outras coisas. E sua futura profissão abrirá inúmeras portas para que você ministre à sociedade. Em diversas áreas de nossa vida, temos o imenso privilégio de dar continuidade aos ministérios que Cristo iniciou aqui na terra.

Deus usa pessoas frágeis e imperfeitas como nós para levar sua graça e seu amor a todos os cantos do mundo. Por nosso intermédio, ele chama outros para se tornarem parte de sua família e terem um "para sempre" com ele. Essa não é apenas uma ideia bonita, porém distante e nebulosa. Você a coloca em prática em ações simples: quando limpa o banheiro de casa, estuda com um colega, ora por uma amiga aflita, varre o piso da igreja, recolhe o lixo no parque, cede o seu lugar no ônibus para alguém que parece cansado.

Talvez Deus a chame para ministrar na igreja ou em um campo missionário em tempo integral. Se for o caso, prepare-se bem para isso. Estude, faça seminário, aprofunde-se na Palavra antes de ensinar, busque acompanhamento de cristãos piedosos e formas de se capacitar para essa vocação. Não importa qual seja sua vocação, porém, lembre-se de que Deus *já a chamou* para ministrar exatamente no lugar onde você está.

Alguém resumiu muito bem a instrução para a vida cristã em três palavras: *Ore e trabalhe*. Onde quer que esteja, mantenha a comunhão com Deus e trabalhe para ele. Esse é o ministério de todos nós!

★ Alimento para sua semana ★

Primeiro dia

Qual é a missão que Deus confia a todos nós, não importa em qual área escolhamos desenvolver nossa vocação?

★ Leia Atos 20.24.

Segundo dia

A Bíblia diz que, além da minha vocação e da minha profissão, Deus também me concedeu certos dons do Espírito. Para que servem esses dons? E o que eu devo fazer com eles?

★ Leia 1Pedro 4.10-11; Romanos 12.6-8.

Terceiro dia

Quando Deus me der convicção pessoal de que está me chamando para servi-lo de determinada forma, seja dentro ou fora da igreja, qual deve ser minha resposta?

★ Leia Isaías 6.1-8.

Quarto dia

Como deve ser o meu serviço ao Senhor nos ministérios da igreja?
- ★ Leia Efésios 4.1-3.

Quinto dia

Ao servir a outros, preciso me preocupar em receber a aprovação de quem?
- ★ Leia 2Timóteo 2.15.

Sexto dia

Qual é a principal função daqueles que se dedicam ao ministério de tempo integral na igreja?
- ★ Leia Efésios 4.11-12,16.

Sétimo dia

De onde vêm o poder e a força para continuar a servir dentro e fora da igreja, até mesmo em circunstâncias difíceis e desanimadoras?
- ★ Leia 2Coríntios 4.7-10.

SEMANA 22
Descabelada, sobrecarregada e exausta!

Estudar, trabalhar, ajudar em casa, cultivar relacionamentos, colaborar na igreja e na comunidade, cuidar do corpo e, em meio a tudo isso, manter um relacionamento vivo e ativo com Deus. Ufa! Tem dias que você se pega correndo de um lado para o outro feito uma barata tonta? Sua vontade é pedir que alguém pare o mundo para você descer? Não se aflija!

Para que você encontre paz e descanso, Deus quer ajudá-la a organizar suas *prioridades*. Às vezes ficamos exaustas porque imaginamos que tudo é de suprema importância e dispersamos nossos esforços em mil coisas em vez de concentrá-los naquilo que é essencial. Para evitar que isso aconteça, considere três prioridades com base em princípios bíblicos.

- *Relacionamento com Deus*. Não estamos falando de atividades da igreja, mas de momentos a sós com o Pai, para que ele se revele a nós na Palavra e em oração, renove nossas forças e ajuste nosso foco. Uma boa forma de reforçar essa prioridade é começar o dia com um tempo dedicado exclusivamente a Deus.
- *Relacionamento com outros*. Curtir momentos de contato presencial (e não apenas em redes sociais) e comunhão com a família e os irmãos em Cristo é fundamental. Afinal, pessoas são mais importantes que coisas! Se você está sobrecarregada, busque o conselho de cristãos mais maduros e peça ajuda de familiares e amigos. Esteja disposta a servir outros, mas também a receber o auxílio deles com humildade e gratidão.

✧ *Cuidados com o corpo e a saúde.* Para que você curta a presença de Deus e de outros e possa servi-los com dedicação, precisa ter forças físicas e mentais. Dormir o suficiente, ter um dia de descanso, alimentar-se bem, curtir a natureza e repousar a mente são presentes de Deus para que mantenhamos uma vida equilibrada.

Eu sei que é difícil colocar essas três prioridades antes de estudos, trabalho e tempo *on-line*, mas faça uma experiência. Confie que Deus lhe dará muito mais pique para realizar o que é importante e lhe mostrará que atividades não cabem na sua agenda. Pela fé, escolha não se sobrecarregar e descanse na graça divina!

★ **Alimento para sua semana** ★

Primeiro dia
Que instrução bíblica fundamental precisa dirigir a organização de minhas prioridades para que eu não fique ansiosa e sobrecarregada?
★ Leia Mateus 6.27-33.

Segundo dia
Como devo orar a Deus ao refletir sobre o modo como uso meu tempo?
★ Leia Salmos 90.12.

Terceiro dia
Sei que às vezes meu cansaço é resultado de orgulho e arrogância. Acho que posso fazer tudo sozinha! O que a Bíblia diz sobre isso?
★ Leia 1Pedro 5.6-7.

Quarto dia

Que exemplo Jesus deixou para mim de relacionamento com o Pai?
- ★ Leia Mateus 14.22-23.

Quinto dia

Por que é importante priorizar momentos de comunhão presencial com outros cristãos?
- ★ Leia 1Tessalonicenses 5.11; Hebreus 10.24-25.

Sexto dia

Por que é inútil estudar e trabalhar sem dar descanso ao corpo e à mente?
- ★ Leia Salmos 127.1-2.

Sétimo dia

O que Jesus me chama a fazer quando estou exausta física, mental ou espiritualmente?
- ★ Leia Mateus 11.28-30.

EXERCÍCIO DE FÉ

Morrer para si mesma

Leia as belas palavras de instrução e promessa registradas em João 12.24-26. Jesus não estava falando apenas de nós, mas de si mesmo, pois tudo o que ele nos ordena, ele experimentou aqui na terra e, por meio do Espírito, nos ajuda a fazer.

Para servir a Deus de coração, precisamos morrer para nós mesmas diariamente: remover-nos do centro de nossa vida, abrir mão de desejos que não fazem parte dos propósitos divinos e priorizar as necessidades de outros. Essa morte dói, pois vai contra tudo o que nossa natureza pecaminosa valoriza e tudo o que a cultura ao redor nos ensina. Mas, quando colocamos de lado nosso ego, recebemos vida verdadeira, transbordante, de-li-ci-o-sa! Recebemos a maravilhosa bênção do autoesquecimento e da alegria plena em Jesus.

Ao descobrir sua vocação, escolher uma profissão e servir a Deus em sua vida diária, seja como o grão de trigo que, quando morre, produz muitos frutos. Para se lembrar dessa verdade, faça o seguinte exercício:

1. Providencie:
    - grãos de trigo inteiros (procure em lojas de produtos naturais)
    - pote de vidro e toalha de papel
    - bandeja de isopor (faça alguns furos no fundo)
    - terra vegetal para horta, sem adubo

2. Lave bem os grãos de trigo e deixe-os, úmidos, dentro de um pote coberto com uma toalha de papel até começarem a brotar (1 dia).
3. Encha a bandeja com terra e espalhe sobre ela os grãos brotados.
4. Regue diariamente com um pouco de água limpa e deixe em lugar bem claro.
5. A grama de trigo começará a crescer e, depois de 7 a 8 dias, estará pronta para ser usada em deliciosos e nutritivos sucos e saladas.

Durante esse processo, ore para que Deus a torne produtiva e use sua vida e seu serviço para nutrir muitos outros!

O foco do treino é...

NAMORO E CASAMENTO

Talvez seus olhos tenham se transformado em dois coraçõezinhos só de ver o título acima. De fato, o romance é um presente lindo de Deus, mas precisa ser usado com sabedoria, do jeito que *ele* planejou.

Nesta etapa do treino você vai aprender a:

- ✧ Fazer distinção entre paixão e amor verdadeiro.
- ✧ Evitar alguns problemas no namoro e lidar com desilusões.
- ✧ Preparar-se para um casamento saudável.
- ✧ Permanecer aberta para os planos de Deus.

Descubra os bons propósitos do Senhor para sua vida afetiva!

SEMANA 23
Acho que "estou amando"

Se existe uma palavra muito mal usada é "amor". Você conhece o menino há dois dias é já "está amando". O par romântico no filme brigou o tempo todo só para descobrir, no final, que é "amor". Na verdade, esses são exemplo de atração ou de paixão.

Atração é algo que pode acontecer de repente, sem que tenhamos controle. Olhamos para um garoto e nos sentimos atraídas por ele. Podemos decidir, porém, se vamos alimentar essa atração e agir em função dela ou não.

Embora a *paixão* também pareça incontrolável, ela não é como gripe, que pegamos e temos de esperar passar. Podemos controlar nossos pensamentos que, por sua vez, influenciam (e muito!) nossos sentimentos.

Em grande medida, a paixão tem a ver conosco, e não com a outra pessoa. Quando estamos apaixonadas, pensamos: "Será que ele vai reparar no *meu* visual? Quero tanto que olhe para *mim*, fale *comigo*, *me* peça em namoro!".

Às vezes, o que começa como atração ou paixão pode se transformar, ao longo do tempo, em grande amizade e intimidade de alma. Ou seja, em amor verdadeiro. Mas o que exatamente é amor?

Não é um sentimento que enche nosso coração de calor e ternura; isso é afeto ou carinho. Também não é uma vontade intensa de conquistar a outra pessoa. Isso é paixão, lembra?

Amor é a decisão de buscar o bem da outra pessoa. Não é fazer tudo o que ela quer (especialmente se é contrário às instruções da Bíblia). É fazer o que, de fato, será bom para ela, segundo os padrões divinos. Podemos amar outros porque sabemos que

Deus nos ama e cuida de nós. Não precisamos correr atrás de nenhum benefício para nós mesmas, pois temos um Pai que supre todas as nossas necessidades. Ao mesmo tempo, não nos fazemos de capacho de ninguém, pois sabemos que o Criador nos formou, com imenso valor, para sermos respeitadas.

Deus nos amou primeiro e nos mostrou o que significa amar. Se você prestar atenção em como Deus ama, começará a aprender o que é amar de verdade.

Da próxima vez que tiver vontade de dizer: "Estou amando", pense em tudo isso e peça ajuda do Espírito para avaliar seu coração com sabedoria e clareza antes de tomar qualquer decisão.

★ Alimento para sua semana ★

Primeiro dia
Sei que o amor de Deus por mim é o fundamento para entender o verdadeiro amor nos relacionamentos humanos. Mas o que exatamente a Bíblia diz sobre isso?
- ★ Leia 1João 4.16-21.

Segundo dia
Por que é perigoso tomar decisões a respeito de relacionamentos apenas com base em aparências ou na impressão inicial que temos de alguém?
- ★ Leia 1Samuel 16.7; Provérbios 31.30; João 7.24.

Terceiro dia
Eu entendo que não é errado sentir atração por um garoto e querer me aproximar dele. Mas por que não devo ficar fantasiando e alimentando esses sentimentos, a ponto de tomarem conta de minha vida?
- ★ Leia Tito 2.11-14; 1Pedro 2.11.

Quarto dia
O que a Bíblia diz sobre o aspecto egoísta da paixão?
* ★ Leia 1Coríntios 10.24; Filipenses 2.4.

Quinto dia
Qual é a diferença entre amor e paixão quanto a sua permanência?
* ★ Leia Cântico dos Cânticos 8.6-7.

Sexto dia
Por que conhecer a Deus, entender o amor dele por mim e aprender a amar outros de verdade são coisas que andam juntas?
* ★ Leia 1João 4.7-8.

Sétimo dia
Apaixonar-me por um garoto é algo que me preenche por um tempo. Mas como posso me sentir amada e satisfeita sempre?
* ★ Leia Salmos 16.11; João 1.16.

SEMANA 24
Namoro é coisa séria!

Quantos namorados posso ter antes de casar? Quanta intimidade física é apropriada dentro do namoro?

Muitas de nossas dúvidas sobre namoro são resultantes de não entendermos a natureza desse relacionamento. Sob a perspectiva cristã, namoro é um compromisso sério, exclusivo e duradouro *que considera a possibilidade de casamento*. Não é um só um passatempo ou uma forma de satisfazer nossos desejos. Também não é apenas uma forma de oficializar a intimidade física em vez de simplesmente "ficar".

É o passo que vem depois de uma boa amizade, na qual já identificamos que o garoto tem um compromisso de vida com Cristo, honestidade e integridade. Se não conseguirmos enxergar esses elementos nitidamente durante a amizade, não devemos sequer pensar em namoro. Essa é uma boa hora de lembrar, ainda, que não existe "namoro evangelístico".

Nosso objetivo ao namorar é entender ainda melhor o caráter e a personalidade do garoto. Namoro é tempo de ter longas conversas sobre questões profundas e de desenvolver forte companheirismo. Também é o período em que pedimos orientação clara a Deus para saber se devemos nos comprometer ainda mais. O ideal é que se transforme em noivado e, por fim, em casamento. Mas também é o momento certo para terminar o relacionamento caso Deus nos mostre áreas que poderão se tornar problemáticas no futuro (veja Semana 25).

Fica evidente, portanto, que a simples atração que se possa ter por alguém não é motivo para começar a namorar de imediato. E o namoro não é o lugar para desfrutar de grande intimidade física, uma vez que não existe um compromisso público e definitivo. Embora namorar não seja *só* para casar, não faz sentido iniciar um namoro quando os dois ainda não têm maturidade nem condições práticas de começar a pensar em casamento. Por isso a seriedade do assunto.

Talvez o que acabamos de conversar não seja novidade para você. Que bom! Lembre-se, porém, de que é absolutamente impossível manter-se no rumo certo, tomando decisões sábias, sem a ajuda de Deus. Não tente aplicar com suas próprias forças os princípios cristãos para o namoro. Busque continuamente o auxílio de Deus. Ele é o maior interessado em fortalecê-la e dirigi-la a cada passo!

★ Alimento para sua semana ★

Primeiro dia

Acho tão difícil essa história de namoro cristão. É cheia de regras e limites! Onde encontrar motivação para me manter fiel aos princípios que Deus estabeleceu para a glória dele e para o meu bem?

★ Leia João 10.10-11; Efésios 2.4-7.

Segundo dia

Por que eu não posso usar os padrões do mundo como referência para meus relacionamentos, de namoro inclusive?

★ Leia 2Pedro 2.20-22.

Terceiro dia

Qual deve ser o meu primeiro critério ao avaliar se convém iniciar um namoro com alguém?

★ Leia Salmos 37.37-38; 2Coríntios 6.14-15.

Quarto dia

A que outras características devo ficar atenta ao considerar a possibilidade de namorar alguém?

★ Leia Salmos 40.4; 112.1-6.

Quinto dia

Por que é tão importante evitar envolvimentos precipitados? Se um namoro não der certo, não posso simplesmente desmanchar depois?

★ Leia Provérbios 19.2; 22.3.

Sexto dia

Eu preciso *mesmo* consultar figuras de autoridade em minha vida (especialmente meus pais) antes começar um namoro? Por quê?

★ Leia Provérbios 12.15; Romanos 13.1-2 (que também se aplica à autoridade dos pais).

Sétimo dia

A que promessa posso me apegar enquanto espero por uma resposta clara de Deus a respeito de um relacionamento?

★ Leia Salmos 32.6-11.

SEMANA 25
Não quero me magoar novamente

Se você alguma vez se magoou em um envolvimento afetivo, talvez se identifique com um dos itens da lista abaixo.

- ⬥ Tinha certeza absoluta de que ele estava interessado. Declarei-me e tomei um "fora" daqueles!
- ⬥ Oramos juntos antes de começar o namoro, mas depois ele me traiu.
- ⬥ Um dia, "do nada", ele terminou comigo. Não entendi o que aconteceu.

Algumas mágoas desse tipo podem ser evitadas ao entendermos a natureza e o lugar do namoro (Semana 24). Outras, ao termos consciência dos problemas mais comuns que surgem nesse relacionamento e tomarmos medidas práticas (Semana 26).

Outros sofrimentos, porém, são inevitáveis, pois a prevenção não se encontra em nossas mãos. Talvez você tenha desenvolvido uma boa amizade com o garoto, tenha sido paciente e buscado direção clara de Deus e, ainda assim, tenha sofrido uma grande desilusão.

Antes que você resolva passar o resto da vida sozinha em uma caverna, aqui vão alguns tópicos para refletir.

- ⬥ Orar sobre um relacionamento é fundamental, mas não é garantia de que tudo vai acontecer da forma como você espera. Muitas vezes, Deus revela sua vontade aos poucos, à medida que nos relacionamos com ele e com outros. Talvez ele tenha permitido um namoro com final traumático, mas a tenha poupado de um casamento infeliz para o resto da vida. A oração sincera garante que será feita a vontade *de Deus*, e não a nossa.

✧ Não controlamos os sentimentos de outros. Pode acontecer de nos envolvermos com um garoto que ainda não aprendeu a avaliar o próprio coração antes de assumir um compromisso. Estamos *todos* em fase de aprendizado. Não devemos, portanto, tentar "conquistar" ninguém, nem prender ninguém.

✧ Quando confiamos na direção de Deus, nenhum sofrimento é à toa. Algumas bênçãos muito profundas só são experimentadas em contextos de desilusão e dor.

Não há garantias de que você nunca vai se decepcionar ou se magoar novamente. Mas, não importa o que aconteça, você pode ter a firme convicção de que, ao apegar-se a Deus, ele a guiará, confortará e trabalhará para cumprir os bons propósitos dele para o mundo e para a sua vida. Confie nisso!

★ **Alimento para sua semana** ★

Primeiro dia
Com a ajuda de Deus, o que preciso levar em conta antes de entrar em um relacionamento a fim de evitar certos tipos de mágoas?
★ Leia Efésios 5.15-17.

Segundo dia
Mas e quanto aos sofrimentos inevitáveis, que estão fora de meu controle?
★ Leia João 16.33; Romanos 5.3-5.

Terceiro dia

A que promessa posso me apegar nos momentos de desilusão e tristeza em minha vida afetiva?
- ★ Leia 1Pedro 1.3-7.

Quarto dia

Deus entende de verdade o que eu sinto quando sofro uma traição?
- ★ Leia Salmos 55.12-14 (uma passagem profética sobre Jesus); Mateus 26.47-50.

Quinto dia

O que fazer para não guardar rancor do ex-namorado que me magoou profundamente?
- ★ Releia Efésios 4.30-32.

Sexto dia

Como superar o medo de ser magoada novamente e confiar que Deus continuará a me ajudar em um futuro relacionamento?
- ★ Leia Salmos 56.3-4; João 14.27.

Sétimo dia

Como recuperar a alegria e a esperança de que Deus tem bons propósitos para aqueles que andam com ele?
- ★ Leia Salmos 71.19-22; Sofonias 3.16-20.

EXERCÍCIO DE FÉ

Conte sua dor para Deus

Você conhece a história de Jó? O livro de Jó é difícil de ler, mas nos ensina lições preciosas sobre sofrimento e, especialmente, sobre quem Deus é e como ele age em meio a nossa dor. Apesar de todas as provações que Jó enfrentou, ele não pecou contra Deus (veja Jó 2.10). Mas isso não quer dizer que ele sofreu em silêncio. Em várias ocasiões, Jó descreveu em detalhes seus sentimentos e suas dúvidas. No fim das contas, porém, olhou para Deus e aceitou a resposta que recebeu dele.

Qual é sua primeira reação quando algo difícil acontece? O que você faz se leva um fora, se há conflitos em sua família, se uma pessoa próxima trai sua confiança ou se você sofre uma perda ou desilusão? Talvez conte sua dificuldade para meio mundo. Pode ser que divida sua tristeza e insatisfação com amigos, colegas, parentes, vizinhos e pelo menos quinhentas pessoas nas redes sociais. Ou, talvez, você seja do tipo que prefere não repartir o peso com ninguém. Sua tendência é esconder sua tristeza até de si mesma, fingir que ela não está lá e procurar mil distrações para não pensar naquilo que lhe causou dor. Não importa qual seja o caso, da próxima vez que seu coração ficar apertado e algo a entristecer profundamente, faça a seguinte atividade:

1. Antes de falar com qualquer outra pessoa ou de simplesmente tentar esquecer sua dor, conte para *Deus* o motivo da tristeza. Apresente para ele seus pensamentos e sentimentos, como Jó fez (Jó 3; 6—7). Talvez você queira fazer a "faxina interior"

descrita na página 53. Ou, se não conseguir colocar em palavras o que está em seu coração, saiba que existem várias outras formas de expressar seus sentimentos para Deus. Por exemplo:

- ⬥ Escreva uma poesia ou um conto.
- ⬥ Componha uma música, com letra e melodia.
- ⬥ Faça um desenho ou uma pintura.
- ⬥ Faça uma colagem com papel colorido, folhas, sementes e outros materiais.
- ⬥ Crie uma escultura de argila ou de sucata.
- ⬥ Crie uma coreografia usando uma música que fale ao seu coração.

Pense em outras maneiras de representar o que está em seu coração, algo que seja a sua cara. Enquanto trabalha em sua obra de arte, lembre-se de que você se encontra na presença de Deus, mostrando para ele o que está em seu coração e deixando que ele a console. Não se preocupe se forem necessários vários dias para criar essa expressão artística para Deus. Trabalhe e reflita sem pressa, crendo que Deus está ao seu lado.

2. Peça ajuda de Deus para continuar crendo no amor e na bondade dele. Declare que, em vez se desesperar, você escolhe confiar nele. Passe alguns momentos em silêncio, com os olhos fechados, respirando devagar, pensando no fato de que o Deus Todo-poderoso está com você no meio de seu sofrimento (mesmo que você não sinta a presença dele). Se desejar, anote sua declaração de confiança em um cartão e guarde em sua Bíblia. Anote, também, versículos que fortaleçam sua decisão de apegar-se a Deus nesse momento.

3. Conte sua tristeza para uma ou duas pessoas próximas e de sua confiança. Escolha alguém que não apenas a ouça, mas que também ore com você e por você. Fique à vontade para desabafar, mas declare que você decidiu confiar em Deus no meio dessa provação.
4. Durante esse processo, permita-se tempo para chorar e aquietar-se *na presença de Deus*. Ele pode lhe dar equilíbrio para vivenciar sua dor sem afundar em melancolia improdutiva.

Peça auxílio do Senhor para seguir esses passos. Não importa o tamanho da dificuldade, desilusão ou tristeza, você vai descobrir que ele a fortalecerá e a ajudará a encontrar motivos de gratidão e louvor ao Deus de amor que nunca a deixa na mão!

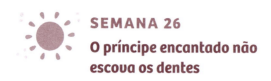

SEMANA 26
O príncipe encantado não escova os dentes

No início do namoro, tudo parece lindo. Seu conto de fadas está se realizando! Passadas algumas semanas ou meses, porém, você descobre que seu príncipe não é assim tão encantado, e vocês acabam brigando.

Vimos na Semana 4 que conflitos podem ser oportunidades de crescimento. Para que isso aconteça, porém, é preciso aprender a lidar com algumas questões que costumam surgir no namoro:

- *Vocês se tornam uma ilha.* Antes de namorar, vocês participavam de programas de família, igreja e comunidade. Agora, vivem em função um do outro. Claro que precisam conversar e se conhecer melhor, mas casais saudáveis fazem parte de um contexto mais amplo, no qual podem servir outros e receber apoio deles.
- *A relação vai "esquentando".* Quanto mais vocês ficam a sós, mais intenso é o desejo de intimidade física. Talvez você se ressinta por ter de fazer papel de "freio". A responsabilidade de definir e manter limites é *de ambas as partes*. Esses limites devem ser traçados em oração, com a ajuda de alguém de fora que possa interceder por vocês e aconselhá-los.
- *Acontecem decepções.* Vocês esperam certas atitudes e ações um do outro e se decepcionam quando essas expectativas não são correspondidas. Ninguém é capaz de ler pensamentos. É fundamental haver *comunicação*. E ambos precisam chegar a um acordo sobre quais expectativas são razoáveis e quais são irreais.

✧ *O ciúme entra em cena.* Um de vocês (ou os dois) se sente inseguro e tem medo de perder o outro. Surge o desejo de controle. Esse é o resultado de colocar o namoro no centro de sua vida, de abrir mão de outras interações e atividades saudáveis e de não cultivar o companheirismo. Quando o(a) namorado(a) se torna a única fonte de afeto, crescem as inseguranças. E, quando um não conhece bem o outro, é impossível confiar.

Busquem em Deus a capacitação e a força para lidar com esses desafios. Peçam ajuda de pessoas mais maduras de sua confiança. O Senhor não planejou para vocês um conto de fadas, mas sim, uma vida real de crescimento e satisfação, o que é muito melhor!

★ Alimento para sua semana ★

Primeiro dia
O que posso fazer para que os conflitos dentro do meu namoro sejam produtivos?
★ Leia Tiago 3.13-18.

Segundo dia
Por que é importante não nos isolarmos, mas sim, fortalecermos a comunhão com a família de fé durante o namoro?
★ Leia Hebreus 10.23-25.

Terceiro dia
Será que é *tão* ruim me afastar de amigos para me dedicar inteiramente ao meu namorado?
★ Leia Provérbios 18.1; Filipenses 2.4.

Quarto dia

Onde diz na Bíblia que traçar limites para a intimidade física é responsabilidade de ambas as partes?
- ★ Leia 1Tessalonicenses 4.3-8 (com destaque para as primeiras palavras do versículo 4).

Quinto dia

Quais são alguns parâmetros para a boa comunicação dentro do meu namoro?
- ★ Leia Lucas 6.31; Efésios 4.25-27.

Sexto dia

Por que o ciúme é tão nocivo para a vida com Deus e para meus relacionamentos?
- ★ Leia 1Coríntios 3.1-3; Gálatas 5.19-21.

Sétimo dia

Como posso ter certeza de que Deus me ajudará e me guiará em meio aos desafios e conflitos de um namoro?
- ★ Leia Salmos 121.1-8.

SEMANA 27
Antes de casar, é bom perguntar

Quando um namoro caminha para um noivado, *não é* hora de começar a pensar em modelos de vestido e decoração de igreja. *É hora* de tratar de assuntos fundamentais. Talvez você e seu namorado já tenham trocado ideias sobre vários dos tópicos abaixo. Não se contentem, porém, em imaginar que sabem o que o outro pensa. *Conversem* sobre cada item.

Diferenças de opinião não são, necessariamente, sinal de que o relacionamento está condenado ao fracasso. Podem significar apenas que é preciso definir o quanto cada um está disposto a ceder. Busquem a orientação de Deus e o conselho de pessoas mais maduras. E não discutam todos os tópicos de uma vez. Separem tempo para refletir sobre cada um e conversar com calma.

Para conversar a dois:

- ⟡ Qual é seu posicionamento em relação às principais doutrinas bíblicas? Leiam e discutam a confissão de fé de sua(s) denominação(ões).
- ⟡ O que você busca no relacionamento com Deus? Quais são suas práticas devocionais? Como serão nossos devocionais em família?
- ⟡ Marido e esposa devem ter papéis diferentes dentro do casamento? Como será a divisão de trabalho para sustento e de tarefas domésticas?
- ⟡ Quais são suas expectativas em relação à intimidade sexual? Quão importante é essa parte do casamento?
- ⟡ Pensa em ter filhos? Quando? Quantos? Como pretende educá-los?

- ⬥ O que pensa a respeito de carreira e voluntariado? Quais são seus alvos na vida profissional?
- ⬥ Quão importante para você é planejar as finanças, poupar e investir? Quais são seus alvos na vida financeira?
- ⬥ Quão importante você considera o cuidado com o corpo e com a saúde?

Para perguntar a si mesma:

- ⬥ Espero alguma mudança da parte dele depois que nos casarmos? Expressei essa expectativa claramente? Se ele não mudar, estou disposta a conviver com essa questão para o resto da vida?
- ⬥ Estou disposta a "adotar" a família dele? E os amigos?
- ⬥ O que eu espero desse casamento? Expressei para ele essas expectativas?

Se você estiver namorando (ou não), use as perguntas acima para refletir sobre seus posicionamentos e sobre o que você busca em um futuro cônjuge e para orar a esse respeito.

★ Alimento para sua semana ★

Primeiro dia

De que convicções de fé não devo abrir mão nem mesmo por amor a meu namorado/noivo?
- ★ Leia Mateus 22.36-39; Efésios 2.8-9.

Segundo dia

O que deve servir de base para nossa vida com Deus como indivíduos e como casal?
- ★ Leia Salmos 25.14; Oseias 6.3; Miqueias 6.8.

Terceiro dia

Como buscar a vontade de Deus nas diversas áreas de nosso relacionamento?

★ Leia Romanos 12.1-2; Provérbios 3.5-8.

Quarto dia

Por que é importante refletir sobre todas essas questões antes de assumir um compromisso maior? Não são coisas que podemos conversar depois de casados?

★ Leia Provérbios 4.26; 13.16; Lucas 14.28-32.

Quinto dia

Meu namorado e eu nos damos superbem. Precisamos mesmo buscar o conselho de cristãos mais experientes para nossa vida a dois?

★ Leia Provérbios 13.10; Colossenses 3.16.

Sexto dia

Que garantia meu namorado e eu temos de que entenderemos a orientação de Deus para todas essas questões?

★ Leia 1Coríntios 2.12-16.

Sétimo dia

Sei que meu namoro faz parte de uma história muito maior que Deus está contando no mundo. Que exemplos bíblicos tenho da direção, provisão e fidelidade de Deus ao longo dos séculos?

★ Leia Josué 24.1-13 (com Josué 21.45); Atos 13.32-33.

SEMANA 28
Casamento não é contrato

Quando você aluga um imóvel, a primeira coisa a fazer é assinar um *contrato*. Ele é o documento que define obrigações a serem cumpridas e benefícios a serem desfrutados, geralmente dentro de um prazo fixo. Refere-se a algo específico e é condicional. Se uma das partes não cumprir seus deveres (tipo, se você não pagar o aluguel), o acordo pode ser cancelado.

É dessa forma que muita gente vê o casamento. Cada cônjuge tem certas obrigações e espera receber certos benefícios. Se uma das partes se sente prejudicada, pode encerrar o contrato, ou seja, pedir divórcio e sair à procura de outra pessoa que ofereça os benefícios desejados. Esse é um dos motivos pelos quais acontecem tantas separações. O sistema de contrato simplesmente não funciona no casamento.

Desde o começo, quando Deus criou o primeiro casal, ele definiu outro tipo de relacionamento: a *aliança*. A Bíblia traz muitos exemplos de alianças, várias delas entre Deus e pessoas. Para entender a essência do casamento, portanto, é ótima ideia estudar as alianças bíblicas. Elas nos mostram como Deus se relaciona conosco e qual deve ser a disposição de nosso coração para com nosso cônjuge.

O casamento é um compromisso assumido diante de outras pessoas e do Senhor para refletir o amor e a fidelidade dele. Tem começo, mas se estende pelo resto da vida. Seu objetivo não é impor obrigações e garantir benefícios para cada parte, mas sim, promover o bem do relacionamento. Não prejudica nenhuma das partes, mas exige sacrifícios de ambas.

Sem auxílio divino, é impossível manter essa aliança (daí a importância de ter um cônjuge 100% comprometido com Deus).

Precisamos de forças do Senhor para cumprir as promessas que fazemos ao nos casarmos. Precisamos de compaixão e capacitação para perdoar quando a outra parte falha. E precisamos de amor para buscar o bem do outro, e não apenas nossos próprios interesses.

O casamento é uma excelente maneira de mostrar para o mundo como Deus nos ama e como ele nos ensina a amar uns aos outros. E, ao vivenciarmos essa aliança, descobrimos uma fonte profunda de satisfação e alegria para o resto da vida.

★ **Alimento para sua semana** ★

Primeiro dia
Quais são alguns exemplos de aliança entre Deus e as pessoas?
- ★ Leia Gênesis 15 (Abraão); Êxodo 19.5-6 (israelitas); Jeremias 31.33-37 (israelitas e cristãos); Lucas 22.19-20 (cristãos).

Segundo dia
O que posso aprender com a primeira aliança de casamento descrita na Bíblia?
- ★ Leia Gênesis 2.21-24.

Terceiro dia
Sei que Deus nos ama de forma incondicional, mas nossa infidelidade tem consequências tristes. O que isso tem a ver com a aliança de casamento?
- ★ Leia Malaquias 2.13-16.

Quarto dia
Quão sérios são os votos e as promessas que fazemos diante de Deus?
- ★ Leia Eclesiastes 5.4-5.

Quinto dia
Onde diz na Bíblia que o casamento é uma aliança para o resto da vida?
 ★ Leia Mateus 19.3-9.

Sexto dia
Como poderei demonstrar no dia a dia que assumi um compromisso de aliança com meu marido?
 ★ Leia Efésios 5.1-2,21; 1João 3.18.

Sétimo dia
Sozinha jamais serei capaz de cumprir meus votos de casamento! Como posso ter certeza de que Deus vai me dar forças para ser fiel?
 ★ Leia Salmos 28.6-9; 119.116-117.

SEMANA 29
As 1001 utilidades do matrimônio

Por que Deus idealizou um compromisso ao mesmo tempo tão maravilhoso e tão assustador como o casamento, que só podemos vivenciar bem com ajuda dele?

Tudo o que Deus criou, desde as galáxias mais distantes até o pólen minúsculo das flores, existe para mostrar a imensa glória divina. Isso inclui o casamento. Ele não é um fim em si mesmo, mas um *meio* para alcançar vários fins:

- *Refletir a grandeza, o amor e a fidelidade de Deus.* O relacionamento saudável entre marido e esposa ilustra na vida diária como Cristo se relaciona conosco, sua igreja.
- *Servir o reino de Deus e o mundo ao redor.* No casamento, Deus une os dons e talentos dos cônjuges em uma combinação singular. Juntos, você e seu marido contribuirão para o reino de Deus e o mundo ao redor de maneiras que nenhum outro casal poderia fazer. Empolgante saber disso, não é?
- *Ajudar um ao outro a se tornar aquilo que Deus planejou.* Deus está nos preparando para o dia em que encontraremos com ele face a face. Ele usa cada cônjuge para aperfeiçoar o outro e torná-lo mais parecido com Cristo. Ao assumir o compromisso de casamento, portanto, você também promete esforçar-se para sustentar seu marido na caminhada dele com Deus. Que responsabilidade!
- *Criar profunda amizade e companheirismo sem igual.* O compromisso para a vida toda cria um ambiente de segurança que permite desenvolver intimidade de alma.

Também proporciona uma estrutura firme em que o amor verdadeiro (Semana 26) pode se desenvolver. O casamento não é baseado em *sentimentos* de amor, mas em dezenas de *ações* diárias de amor que produzem, então, sentimentos de afeto. A paixão vem e vai ao longo dos anos, mas esse afeto é constante. Seu cônjuge se torna, verdadeiramente, seu melhor amigo para sempre.

Apesar de o casamento ser uma instituição divina superimportante, precisamos enxergá-lo dentro da história mais ampla que Deus está contando no mundo para cumprir seus bons propósitos. Quando encaramos o casamento dessa forma, ele ganha muito mais sentido e tem fôlego para durar a vida toda.

Pense nisso!

★ Alimento para sua semana ★

Primeiro dia
Que comparação a Bíblia faz entre o casamento e o relacionamento de Cristo e a igreja?
- ★ Leia Efésios 5.21-33.

Segundo dia
Quais são as responsabilidades conjuntas de homens e mulheres para servir a Deus e cumprir seus planos no mundo?
- ★ Leia Gênesis 1.27-28; Salmos 8.3-9.

Terceiro dia
Há algum exemplo bíblico que me ajude a entender como poderei servir a Deus de maneira singular junto com meu marido?
- ★ Leia Atos 18.1-3,18-19, 24-26; Romanos 16.3-4.

Quarto dia

Qual é a importância do companheirismo e da amizade para nossa jornada aqui na terra?

- ★ Leia Gênesis 2.18; Eclesiastes 4.9-12.

Quinto dia

De que maneira o casamento cria uma estrutura de confiança total e de intimidade de alma?

- ★ Leia Provérbios 5.15-21 (palavras dirigidas ao marido, mas que valem para a esposa também!).

Sexto dia

O que Deus fará na vida de meu cônjuge e em minha vida dentro da aliança de casamento?

- ★ Leia 2Coríntios 3.18; Filipenses 1.6.

Sétimo dia

O que me ajudará a construir um casamento sólido?

- ★ Leia Provérbios 9.9-12; 24.3-4.

SEMANA 30
E se Deus tiver outros planos?

Você se considera uma panela à procura da tampa? Ou uma princesa à espera do príncipe para salvá-la de uma vida de solidão e lhe dar um final feliz? Vou lhe contar um segredo: do ponto de vista bíblico, ninguém é panela nem princesa.

Não existe nada de errado em ter vontade de se casar e formar família. Esse é um anseio saudável. Mas, como todos os nossos desejos legítimos, o desejo de casar precisa ser sujeitado ao Senhor. Do contrário, pode se tornar um ídolo que colocamos no lugar de Deus e de seus propósitos para nós.

Você se poupará de muita ansiedade e de possíveis encrencas se tiver consciência de alguns mitos e verdades sobre esse assunto:

- ⟡ *Mito 1: Preciso me casar para ser completa.* Não existe essa história de duas metades se encontrarem e se completarem. O casamento acontece entre duas pessoas que *já são inteiras e completas em Cristo*. Jesus, o ser humano absolutamente perfeito e completo, permaneceu solteiro.
- ⟡ *Mito 2: Tenho de me casar antes dos XX anos.* Não podemos estabelecer uma "idade limite" em nossa mente, pois não sabemos o tempo de Deus. Claro que é difícil ser paciente e aguentar a pressão de outros, mas Deus não está alheio a esses desafios. Ele quer nos ajudar a exercitar confiança nos bons propósitos dele.
- ⟡ *Mito 3: Se não me casar, vou ter de me dedicar ao ministério.* O solteirismo é um dom que Deus concede a algumas pessoas. Não é nem melhor nem pior que o dom do casamento. Permanecer solteiro não torna ninguém

automaticamente mais consagrado ao Senhor. Também não faz de ninguém um cidadão de segunda categoria, que precisa se conformar com um plano B. O solteirismo *pode* ser um meio de se dedicar ao ministério em tempo integral. Vale lembrar, porém, que todo o nosso trabalho, dentro ou fora da igreja, deve ser dedicado ao Senhor, quer sejamos solteiras ou não.

Não sabemos todos os planos de Deus para nossa vida. Peça ajuda do Espírito para aguardar com *curiosidade* (e não ansiedade) e confiança o momento em que ele lhe mostrará o próximo capítulo. O Autor de nossa história é sempre bom e sempre nos dá um final feliz!

★ Alimento para sua semana ★

Primeiro dia
Tenho vontade de casar, mas fico assustada com as brigas e divórcios que vejo com frequência. O casamento ainda é, de fato, uma coisa boa?
- ★ Leia Provérbios 18.22; 19.14 (os dois versículos também se aplicam a encontrar um marido).

Segundo dia
Sempre ouvi que eu preciso de alguém para me completar. Onde diz na Bíblia que já sou completa?
- ★ Leia Colossenses 2.8-10; 3.11.

Terceiro dia
Como me fortalecer para resistir às cobranças para casar até determinada idade?
- ★ Leia Eclesiastes 3.11,14; Tiago 4.13-15.

Quarto dia

O que a Bíblia diz sobre o dom de permanecer solteira?
- ★ Leia Mateus 19.10-12; 1Coríntios 7.7-8,32-35.

Quinto dia

Por que, embora o casamento seja uma coisa boa, não é o maior bem de todos?
- ★ Leia Marcos 12.19-25; 1Coríntios 7.29-31.

Sexto dia

Eu sei que Jesus permaneceu solteiro. Mas ele entende que eu desejo ter um companheiro para o resto da vida?
- ★ Leia Hebreus 4.14-16.

Sétimo dia

O que preciso ter em mente para confiar que os planos de Deus para mim são sempre bons?
- ★ Leia Salmos 31.19; 34.8; 145.9.

EXERCÍCIO DE FÉ

A armadura da ajudadora

Leia Gênesis 2.18. A palavra hebraica que descreve a mulher é *ezer*. Aparece no Antigo Testamento 21 vezes: duas delas nesse versículo, catorze com referência a Deus e cinco para outros tipos de ajuda, por vezes com sentido militar.

Quando Deus nos ajuda, ele não dá só uma forcinha, sem a qual poderíamos muito bem nos virar. Na Bíblia, o "ajudador" faz por outra pessoa aquilo que ela não tem condições de fazer sozinha.

Ao pensar em seu papel como esposa, tenha em mente esse significado de *ezer*. Deus a criou para trabalhar *ao lado* de seu marido. É privilégio da esposa ser uma guerreira que defende seu cônjuge de ataques do mundo. Quando a sociedade cobrar de seu marido sucesso profissional e prosperidade material, por exemplo, você poderá proteger a mente e o coração dele usando a Palavra de Deus, que nos chama a uma vida de serviço abnegado e simplicidade. Poderá colaborar com ele em projetos que verdadeiramente honrem a Deus, e não apenas preencham as expectativas de nossa cultura.

Como equipar-se para essa tarefa? Aqui vai uma sugestão:

1. Com uma ou duas amigas, estude Efésios 6.10-18, a descrição da "Armadura de Deus". Usem comentários e Bíblias de estudo. Pesquisem *on-line* as armaduras do primeiro século. Juntem imagens que ilustrem o texto. Troquem ideias sobre cada versículo.

2. Anotem de que maneira poderão usar cada parte da armadura para lutar ao lado do marido contra as forças do Inimigo.
3. Assumam o compromisso de orar umas pelas outras, para que Deus as capacite para essa incumbência tão nobre e fundamental.

Fortaleça-se no Senhor e comece a se preparar hoje mesmo!

O foco do treino é...

SEXO

Você não via a hora de chegar a esse assunto para tirar mil dúvidas? Fique sossegada, pois esta etapa é recheada de informações!

Nela você vai aprender a:

- ◇ Identificar os objetivos de Deus ao criar o sexo.
- ◇ Vivenciar sua sexualidade de forma saudável desde já.
- ◇ Encarar com coragem alguns desafios gigantes.
- ◇ Desfrutar perdão e salvação, não importa qual seja sua história.

Prossiga em total dependência do Espírito e descubra novas forças!

SEMANA 31
Por que Deus inventou o sexo?

Se tudo que tem a ver com sexo causa tanta confusão e dor de cabeça, por que Deus foi inventar uma coisa dessas?

Deus tinha *excelentes* motivos para nos criar com desejos sexuais e capacidade de fazer sexo. E esses bons motivos têm mais a ver com Deus do que conosco!

- *Mostrar o que é verdadeira intimidade e compromisso.* Quando Deus nos salva, ele assume um compromisso eterno conosco. Dentro desse relacionamento, somos chamadas a ter intimidade cada vez maior com o Senhor: conhecimento dele, amor por ele, confiança nele e disposição de nos entregarmos a ele. A relação sexual reflete de forma física uma parte desse envolvimento espiritual entre Deus e seu povo. Por isso, o sexo deve ser vivido dentro de um *compromisso para o resto da vida*. E, por isso, deve ser uma combinação de intimidade física, emocional e espiritual, e não só uma busca por prazer físico.
- *Mostrar a bondade divina.* O prazer sexual é um "aperitivo" do prazer que teremos para sempre na presença de Deus. Fomos criadas para experimentar a bondade e a beleza absolutas de Deus na comunhão com ele. Quando marido e esposa sentem prazer juntos, experimentam uma pontinha de quem Deus é! Por isso, é necessário haver *reciprocidade*, em que as duas partes se dedicam a dar prazer uma à outra. Dessa forma, o sexo reflete mais uma coisa que acontece na esfera espiritual: quando buscamos nossa mais profunda satisfação em Deus e quando nos dedicamos a agradá-lo (em vez de nos preocuparmos em agradar

a nós mesmas), experimentamos o verdadeiro prazer que Deus nos dá.

⋄ *Dar-nos um bom presente.* Como tantas outras coisas maravilhosas neste mundo, o prazer sexual é um presente para curtirmos! Deus formou nosso corpo de maneira a sentir vários tipos de prazer e nos deu limites dentro dos quais podemos aproveitá-los ao máximo, sem que se tornem um perigo e sem que tragam desgostos.

O Deus que tem um compromisso para sempre conosco e que deseja nos mostrar sua bondade, nos convida a usar esse presente extraordinário da forma como *ele* planejou: para alegrarmos o coração dele, para darmos uma espiada na glória dele e para nos proporcionar verdadeira satisfação.

★ Alimento para sua semana ★

Primeiro dia
Como posso ter certeza de que Deus quer ter comigo um relacionamento próximo de fidelidade e compromisso?
★ Leia Deuteronômio 7.9; Jeremias 31.3; 2Coríntios 1.18-20.

Segundo dia
Por que o sexo deve acontecer somente dentro de um compromisso para a vida toda? O que isso reflete a respeito do amor de Deus por mim?
★ Leia Salmos 136.1-26 (que palavras se repetem no salmo?); Jeremias 32.40.

Terceiro dia
O que Deus quis mostrar a respeito de si mesmo quando criou o sexo para que proporcionasse muito prazer?
★ Leia Salmos 145.16; Lucas 18.19.

Quarto dia

De que maneira apegar-me à bondade e à verdade da Palavra de Deus pode me ajudar em minha vida sexual?
- ★ Leia Salmos 119.65-72.

Quinto dia

O que acontece quando Deus é minha primeira e principal fonte de alegria e prazer?
- ★ Leia Salmos 37.4,23-24.

Sexto dia

Como sei que o sexo é um bom presente de Deus?
- ★ Leia Tiago 1.17.

Sétimo dia

E se eu tiver tomado decisões nessa área que não correspondem aos propósitos de Deus?
- ★ Leia Isaías 1.18-19.

SEMANA 32
100% santa

Quando conversamos sobre sexo do ponto de vista cristão, é comum falarmos de *santidade*. Uma garota santa não "fica" com ninguém, não vai a baladas, não deixa o garoto passar a mão aqui ou ali, não rebola *funk*, não tem visual de piriguete e, obviamente, não faz sexo antes do casamento. Que festival de NÃOs!

Será que a "vida plena, que satisfaz", prometida por Jesus para nós é definida apenas por aquilo que *não* fazemos? Será que ter santidade significa apenas abrir mão de uma porção de coisas?

Na Bíblia, a palavra *hagios* ("santo", em grego) descreve todas as pessoas que Deus chamou para fazer parte da família dele. Elas são separadas do mundo e consagradas a Deus. Você é santa *porque pertence a Deus*, e não porque faz ou deixa de fazer alguma coisa.

Esse Deus ao qual você pertence é absolutamente puro e perfeito. Ele é bom, amoroso e cheio de compaixão. Ao mesmo tempo, contudo, não pode conviver com nenhum tipo de pecado. Como é possível, então, ele se relacionar conosco? Esse é o presente que Cristo nos deu na cruz: tomou sobre si nossa maldade, sujeira e rebeldia e pagou o preço por elas de uma vez por todas. Agora, quando Deus olha para nós, ele nos vê como filhas amadas, consagradas a ele. Portanto, apesar das tentações e perrengues que ainda enfrentamos aqui na terra, Deus considera que a santidade dele já faz parte de nós.

O xis da questão é viver de acordo com essa realidade. Com a ajuda contínua do Espírito, você dedica seus esforços a aprender a pensar, sentir e agir de acordo com a nova natureza santa que Deus lhe deu quando a salvou. Esse é o processo de *santificação*: tornar-se aquilo que você já é!

Em oração, analise que hábitos, atitudes e ações têm a ver com sua natureza de filha amada do Deus santo. Cultive essas virtudes com carinho e atenção. Analise também o que destoa dessa vida santa (tipo, não tem nadinha a ver com ela). Considere não apenas coisas exteriores, mas também pensamentos e atitudes interiores. Dedicar-se inteiramente a Deus em todas as áreas — amizades, família, estudos, trabalho, lazer — a ajudará a entender como ser santa em relação a sua sexualidade.

★ Alimento para sua semana ★

Primeiro dia
Ainda não estou convencida de que santidade é assim tããão importante. Por que preciso me esforçar para viver de acordo com minha nova natureza santa?
- ★ Leia Efésios 1.3-8.

Segundo dia
Viver em santidade é difícil! Tenho medo de sair no prejuízo e de me tornar esquisita. Onde encontrar forças para permanecer firme?
- ★ Leia Romanos 8.32-39.

Terceiro dia
Quais são algumas formas práticas de exercitar a santidade em meus relacionamentos com outros cristãos?
- ★ Leia Colossenses 3.12-15.

Quarto dia

Tenho vergonha de dizer para meus amigos que estou tentando levar uma vida de santidade. Como lidar com esse sentimento?
- ★ Leia 2Timóteo 1.7-11.

Quinto dia

Sei que minhas conversas influenciam meus pensamentos e sentimentos e, portanto, afetam meu esforço para viver em santidade. Como saber que assuntos agradam a Deus?
- ★ Leia Efésios 5.1-4.

Sexto dia

O que fazer quando percebo que não estou vivendo de acordo com minha nova natureza santa?
- ★ Leia Hebreus 4.13-16.

Sétimo dia

Colossenses 3.15 e Efésios 5.4 falam sobre ser agradecida. Como posso expressar gratidão a Deus pela maravilhosa santidade que tenho em Cristo?
- ★ Leia Salmos 116.8-14.

EXERCÍCIO DE FÉ

O prazer de esperar

É possível que, neste momento, uma porção de coisas pareça estar em "modo espera" em sua vida:

- ⋄ Você assiste a todas as aulas e espera pelo dia em que terá o diploma de ensino médio.
- ⋄ Estuda com esforço e espera pelo resultado do ENEM ou do vestibular.
- ⋄ Distribui currículos e espera por uma entrevista de emprego.
- ⋄ Guarda um dinheirinho e espera pela viagem dos sonhos.

Talvez uma das esperas mais difíceis, porém, seja em sua vida sexual. Você é bombardeada todos os dias com imagens e palavras que insistem: "A hora é agora!". Suas colegas têm histórias picantes para contar. Séries, filmes, livros, *sites* e redes sociais tentam convencê-la de que você está ficando para trás, perdendo tempo. Seu corpo parece totalmente preparado para novas experiências. Aliás, seu corpo *deseja* uma porção de sensações!

Enquanto isso, Deus diz: "Espere! Escrevi todos os seus dias e, na hora certa, vou lhe mostrar o próximo capítulo de sua história". Será que Deus está deixando você "de molho" só para atormentá-la com desejos que não podem ser satisfeitos? De jeito nenhum!

Todos os períodos de espera em nossa vida têm um objetivo bem definido: Ensinar-nos a ter prazer naquilo que Deus está nos dando hoje. Nossa espera *sem* Deus é cheia de impaciência, inquietação e até de raiva e frustração. Nossas espera *com* Deus, em contrapartida, é um exercício de confiança nos bons planos dele para nosso futuro. Mergulhamos na riqueza de experiências que ele nos oferece agora. O Rei do Universo está convidando-a a esperar na companhia dele, a descobrir as maravilhas reveladas por ele hoje.

Faça este exercício para se lembrar de esperar com Deus, saboreando o agora. E diga xô para a impaciência!

1. Anote o que você tem vontade de experimentar física e emocionalmente. É isso mesmo, anote seus desejos sexuais! Se não tiver privacidade ou não se sentir à vontade para registrar em papel, faça uma lista mental. Não é para ficar fantasiando mil detalhes nem escrever um romance erótico. Apenas identifique quais são os desejos que estão dentro de você.
2. Depois de anotar/pensar cada desejo, diga para Deus: "Senhor, eu aceito a presença desse desejo dentro de mim. Se ele estiver de acordo com sua vontade, sei que o Senhor vai satisfazê-lo no tempo certo e do jeito certo". Lembre-se de que os desejos em si não são pecaminosos. Deus nos criou para ter desejos de vários tipos, e isso inclui nossa sexualidade. Pecado é quando tentamos satisfazê-los do nosso jeito, no nosso tempo.
3. Todos os dias, peça para Deus torná-la atenta para os presentes dele que você percebe por meio de seus sentidos. Por exemplo:

   ◇ O aroma de café, o perfume de sua pele, o cheiro de terra molhada depois da chuva.
   ◇ A beleza de um pôr do sol, a cor de uma fruta, a forma de uma folha ou de uma flor.
   ◇ O som de sua respiração, o canto de um passarinho, a melodia de seu louvor predileto.

- ✧ O toque de um tecido macio, a sensação de água refrescante nas mãos, de uma brisa em seu rosto.
- ✧ O sabor de pão fresco, a doçura de chocolate que derrete na boca, o azedinho do limão.

Para não esquecer nada, anote em um caderno ou em seu telefone. Você também pode registrar em forma de fotos para si mesma ou até para compartilhar em uma rede social. Procure diariamente pelo menos um item para cada categoria: olfato, visão, audição, tato e paladar.

Quando surgir o desejo de satisfazer um prazer pelo qual você ainda precisa esperar (aquela lista que você fez no item 1, acima), entregue esse desejo para Deus. Concentre-se em todos os presentes que Deus está lhe dando *hoje*. Desenvolva atenção, sensibilidade e gratidão. Você descobrirá contentamento e se preparará para aproveitar melhor novos prazeres quando chegar o momento certo.

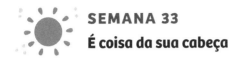

SEMANA 33
É coisa da sua cabeça

Quando uma pessoa sente prazer sexual, uma porção de coisas acontece em seu cérebro. Veja algumas delas:

- É liberada uma substância chamada *serotonina*, que aumenta a sensação de bem-estar e disposição.
- Entra em cena a *dopamina*, substância ligada à gratificação e ao prazer. Alguns alimentos, bebidas alcoólicas e drogas também estimulam a liberação de dopamina, e ela participa da formação de hábitos e vícios.
- É produzida a *ocitocina*, mesma substância liberada no parto e na amamentação. Assim como a ocitocina ajuda a mãe a se ligar afetivamente ao bebê, ela contribui para formar fortes vínculos entre parceiros sexuais (deu para entender por que não existe "sexo casual"?).

A relação entre sexo e cérebro também tem um caminho inverso, em que pensamentos e sentimentos produzem desejos e sensações físicas. Estudos mostram, por exemplo, que certas áreas do cérebro são ativadas quando vemos alguém que consideramos atraente.

Nada disso é por acaso. Deus nos criou para sermos uma unidade dentro da qual vários elementos se mesclam e influenciam uns aos outros. Isso significa que a sexualidade não diz respeito apenas a seu corpo e ao que você faz ou deixa de fazer com ele. Diz respeito, primeiramente, a seu relacionamento com Deus e a seu universo de pensamentos. Por isso é tão importante buscar sabedoria do Senhor para escolher o que você deixa entrar em sua cabeça e que rumos você dá para sua imaginação.

Às vezes, surgem pensamentos intrometidos, coisas que sabemos que não agradam a Deus e que nem gostaríamos de ter pensado. Esses pensamentos em si não são pecado. São como pássaros que sobrevoam nossa mente. Quando isso acontece, temos uma escolha: vamos pedir ajuda de Deus e espantá-los para longe ou vamos deixar que construam ninhos e se multipliquem?

Como anda sua cabeça nestes tempos? Você tem pedido ajuda de Deus para selecionar o que deixa entrar em seus pensamentos (filmes, *sites*, conversas etc.)? Será que é hora de deixar o Espírito fazer uma faxina e remover "ninhos" de fantasias sexuais que não condizem com a nova natureza que Deus já lhe deu?

★ Alimento para sua semana ★

Primeiro dia

Sei que, na Bíblia, o coração é visto como centro não apenas dos sentimentos, mas também dos pensamentos. O que devo fazer com meu coração?

★ Leia Provérbios 4.23; 23.12,19.

Segundo dia

Por que eu preciso cuidar para não encher minha mente com as coisas do mundo, em lugar das coisas de Deus?

★ Leia 1João 2.16-17.

Terceiro dia

Que tipos de pensamento eu devo cultivar a fim de ter uma vida equilibrada e saudável tanto em relação a sexo como em outras áreas?

★ Leia Filipenses 4.8-9.

Quarto dia

Como posso orar a respeito de meus pensamentos?
- ★ Leia Salmos 19.14; 139.23-24.

Quinto dia

Que relação existe entre o hábito de ler a Bíblia e minha capacidade de identificar pensamentos que não agradam ao Senhor?
- ★ Leia Hebreus 4.12-13.

Sexto dia

Como posso me proteger de ter uma mente poluída?
- ★ Leia Provérbios 2.1-11.

Sétimo dia

Como posso ter certeza de que Deus me ouvirá quando eu pedir que ele me ajude a cultivar pensamentos saudáveis?
- ★ Leia Salmos 116.1-2,5-6.

SEMANA 34
Sexo *fake*

Sabe aquele tênis *fake* de camelô, que parece superlegal na hora que você compra, mas começa a desmontar depois de uma semana de uso? Então, pornografia é algo parecido.

Como vimos na Semana 31, o sexo é uma ideia sensacional de Deus, que expressa compromisso, responsabilidade e intimidade de alma. A pornografia passa longe dessas três coisas e, portanto, não tem nada a ver com o propósito divino.

- ⋄ *Compromisso:* Muitas vezes, a pornografia mostra envolvimento sexual entre pessoas que nem se conhecem. Deus diz que o verdadeiro prazer só é possível quando você se envolve com seu parceiro em todos os aspectos da vida. Sexo de verdade acontece em um contexto de companheirismo, carinho, respeito, e da promessa, diante de Deus e de outros, de caminhar juntos para o resto da vida.
- ⋄ *Responsabilidade:* A pornografia não mostra que cada envolvimento sexual, de qualquer tipo que seja, tem consequências. Deus criou o sexo para que forme ligações profundas (lembra-se da *ocitocina* na Semana 33?). E, quando não fazemos as coisas do jeito de Deus, as consequências sempre são negativas. O sexo é algo muito poderoso, que pode tanto gerar uma nova vida como transmitir doenças que trazem grande sofrimento e até morte.
- ⋄ *Intimidade de alma:* A pornografia é feita de aparências, atração física, desempenho. Ela conta mentiras para nós. Diz que as formas do corpo, o tamanho e o formato dos órgãos genitais ou a capacidade de fazer isso ou aquilo com o parceiro são coisas importantes. O sexo de verdade envolve

a pessoa como um todo, exatamente do jeitinho que ela é! No sexo verdadeiro, a criatividade e a diversão na cama fazem parte de um pacote completo que inclui corpo e alma.

Enquanto o sexo de verdade, no contexto planejado por Deus, traz bem-estar físico, mental e emocional, a pornografia vicia, escraviza e exige estímulos cada vez mais fortes. Se você se deixou enrolar pelo *fake*, busque o socorro misericordioso do Espírito e o conselho de irmãos em Cristo que possam ajudá-la sem julgá-la. E confie que, no tempo e do jeito certo, Deus vai lhe dar prazer autêntico, que reflete a bondade e o amor dele!

★ Alimento para sua semana ★

Primeiro dia
Quem é o "mestre do *fake*", o responsável por promover tudo o que é falso e distorcer tudo o que é bom?
  ★ Leia João 8.44.

Segundo dia
Qual é a melhor maneira de não me envolver com o prazer falso que a pornografia oferece?
  ★ Leia Salmos 119.9-10; 33-37.

Terceiro dia
Do que preciso me lembrar se a tentação parecer irresistível?
  ★ Leia 1Coríntios 10.13.

Quarto dia
Como posso ter certeza de que, se eu me apegar firmemente ao Senhor, ele não deixará que eu tropece?
  ★ Leia Salmos 91.9-12.

Quinto dia

Qual é a medida prática que eu devo tomar quando deparar com algum conteúdo pornográfico? Por quê?

★ Leia 1Coríntios 6.18-20.

Sexto dia

O que fazer quando a força de vontade não for suficiente (geralmente ela não é)?

★ Leia 2Timóteo 2.1; Colossenses 4.2.

Sétimo dia

Que palavra de ânimo e consolo devo trazer à memória quando desanimar na luta contra essa tentação?

★ Leia Gálatas 2.20.

SEMANA 35
Acho que gosto de meninas

Um belo dia, você descobre que se interessa por garotos *e* garotas. Ou, talvez, sinta-se atraída só por meninas e não esteja nem aí para os meninos. Antes de concluir que é bissexual ou lésbica, pense com calma sobre algumas coisas.

Para começar, é importante entender que a homossexualidade ou a bissexualidade não é uma coisa que simplesmente "acontece" conosco e sobre a qual não podemos fazer nada. De fato, algumas pessoas têm uma *tendência* a se interessar por ambos os sexos, ou por outros do mesmo sexo. Mas isso não quer dizer que elas precisam seguir essa tendência (por mais forte que seja) para ser felizes. Pelo contrário, a verdadeira felicidade está em viver da forma como Deus definiu para nós com muito amor, para nosso bem.

Como cristã, sua caminhada com Jesus não é primeiramente uma questão de comportamento, mas sim, de *relacionamento*. Deus a criou, chamou-a para ser filha dele, enviou Jesus para salvá-la e lhe dar vida eterna com ele. Se você acredita nisso, a coisa mais importante do mundo deve ser seu relacionamento com esse Pai maravilhoso. Se Jesus é seu Salvador, nada mais justo que ele também seja seu Senhor e lhe mostre como você deve viver. E, não importa o que outros lhe digam, homossexualidade e bissexualidade *não* fazem parte dos bons planos dele para você.

O fato de talvez você perceber uma tendência não quer dizer que você deva segui-la e "experimentar para ter certeza". Pode ser que seu interesse por meninas seja apenas curiosidade natural, parte de seu processo de desenvolvimento. Se você não for atrás e não experimentar, é possível que esse interesse passe.

Curiosidade ou propensão não é pecado. O problema é alimentá-la, buscando conteúdo homossexual ou bissexual *on-line*, por exemplo, ou procurando relacionamentos afetivos com pessoas do mesmo sexo. Peça socorro a Deus. Ele quer lhe mostrar como lidar com essa atração sem agir em função dela.

Deus está chamando você a escolher o ideal dele, a vida de verdadeira felicidade que ele planejou para você. Confie no imenso amor, na proteção e no acolhimento dele e faça a escolha certa!

★ Alimento para sua semana ★

Primeiro dia
Onde diz na Bíblia que o gênero não é uma questão de escolha?
★ Leia Gênesis 1.27; Marcos 10.6.

Segundo dia
Muita gente quer me convencer de que o corpo é meu e, portanto, que posso decidir como vou usá-lo. Onde encontro uma resposta bíblica para essa ideia errada?
★ Leia 1Coríntios 7.23. 1Pedro 1.17-20.

Terceiro dia
Eu sei que não é pecado ter uma *tendência* a fazer as coisas do meu jeito, em vez do jeito de Deus. O que preciso ter em mente, porém, quando for tentada a agir de acordo com essa tendência?
★ Leia Gálatas 6.7-8.

Quarto dia
Que garantia eu tenho de que Deus me ouvirá quando eu pedir ajuda dele para não ceder a minhas propensões?
★ Leia Salmos 6.9; 55.16.

Quinto dia

E seu eu tiver me deixado levar pela curiosidade e já tiver feito experiências com pessoas do mesmo sexo?

★ Leia Salmos 130.3-5; 1João 1.9.

Sexto dia

Qual deve ser minha atitude em relação a irmãos em Cristo que tenham tendência homossexual?

★ Leia João 15.9-12.

Sétimo dia

Que passagem bíblica deve caracterizar minha atitude para com amigos não cristãos que estão confusos sobre questões de gênero e sexualidade?

★ Leia João 3.16-17.

SEMANA 36
Um vilão chamado abuso

O abuso é como um vilão que algumas vezes age de forma descarada e, outras, usa disfarces que o tornam quase irreconhecível. Veja alguns deles:

- Fazer contato físico direto ou indireto (com objetos), em qualquer parte do corpo, com intenção sexual. Não importa se há violência ou não.
- Incentivar ou obrigar a assistir a conteúdo pornográfico, tirar a roupa ou realizar qualquer tipo de ato, mesmo que não seja explicitamente sexual. Não importa se acontece pessoalmente, *on-line* ou por telefone.
- Tirar fotos ou filmar a vítima e usar essas imagens como estímulo sexual e/ou distribuí-las para outros.
- Em um namoro, pressionar com ameaças ou chantagens para que haja mais intimidade física.
- Em qualquer tipo de relacionamento, obrigar ou incentivar a vítima a realizar qualquer atividade sexual que cause constrangimento, humilhação ou que seja contra sua vontade ou consciência.
- Saber ou suspeitar que qualquer tipo de abuso está acontecendo e não tomar providências para proteger a vítima. Essa forma passiva de abuso é tão grave quanto a ativa.

Talvez você esteja se perguntando por que um Deus de amor permite esse tipo de sofrimento. A resposta não é simples. Desde que o pecado entrou no mundo, todos estão sujeitos a suas consequências tristes. Mas nem por isso Deus deixa de ser bom. As circunstâncias não alteram o caráter profundamente amoroso de Deus. Ele continua a ter poder para transformar até a situação mais terrível em bênção.

Isso não significa, porém, que devemos ficar de braços cruzados. Se você ou alguém de seu convívio está em uma situação abusiva, saiba que ela *nunca* é aceitável, mesmo que o abusador seja alguém conhecido e respeitado. Saiba, também, que *sempre* há uma saída. Peça a Deus que lhe mostre uma pessoa de confiança para ajudá-la. Ele não a abandonou e quer começar a livrá-la hoje mesmo!

Corra para os braços do Senhor. Leve para ele sua dor, sua raiva, sua tristeza e seus questionamentos, certa de que ele pode curar e restaurar sua alegria.

E, se esse problema não faz parte de sua realidade, comprometa-se a orar a esse respeito e ficar alerta. Sua oração e atenção podem mudar o rumo da história de alguém!

★ Alimento para sua semana ★

Primeiro dia
O que preciso lembrar a respeito de Deus quando vejo (ou sofro) as maldades que outras pessoas fazem?
★ Leia Salmos 100.5; 145.8-9; 119.68.

Segundo dia
De quem é a culpa pelos atos maus que as pessoas cometem?
★ Leia Tiago 1.13-15.

Terceiro dia
Como posso orar quando me sentir angustiada por causa do abuso que eu sofri ou que vi outros sofrerem?
★ Leia Salmos 13.1-6.

Quarto dia

Sinto-me traída e abandonada por Deus. Que promessa ele me dá para renovar minha confiança nele?

★ Leia Isaías 54.10-17.

Quinto dia

Se fui vítima de abuso, sei que preciso buscar ajuda de outros. Mas onde encontrar esperança e consolo por não ter apoio de minha família?

★ Leia Isaías 66.12-14.

Sexto dia

Eu entendo que o abuso precisa ser denunciado para que a vítima e o abusador recebam a ajuda e o tratamento que precisam. Como ter certeza, porém, de que Deus produzirá algum bem de todo esse mal?

★ Leia Romanos 8.28; Salmos 116.8-9.

Sétimo dia

A Bíblia diz que precisamos perdoar quem nos feriu. O que devo ter em mente quando parecer impossível obedecer a essa instrução?

★ Leia Efésios 3.20-21; Filipenses 4.13.

SEMANA 37
O bom sexo no casamento começa hoje

Nossas várias conversas sobre sexo até aqui não foram apenas para ajudar você a esperar até o casamento. Foram para ajustar seu foco a fim de entender o propósito e o lugar da sexualidade em sua vida — agora e no futuro.

Para experimentar o sexo no casamento com leveza em lugar de ansiedade, é proveitoso se preparar com algumas verdades.

O bom sexo no casamento...

- ⋄ ... *é muito mais que uma recompensa.* Você está se mantendo virgem porque é agradável a Deus e é instrução dele para seu bem neste momento. Não é para garantir uma vida sexual esplêndida depois que se casar. Embora as experiências sexuais antes do casamento possam ter consequências dolorosas, o prazer sexual com seu marido não será resultado direto de castidade (sua ou dele), mas do desenvolvimento de comunhão de alma, confiança total e alegria na companhia um do outro.
- ⋄ ... *é um longo aprendizado.* Talvez não seja uma experiência mágica logo de cara. Como outras formas de comunicação, as expressões íntimas de afeto precisam ser desenvolvidas com tempo, respeito e paciência. Parte do prazer do casamento está no processo de marido e esposa aprenderem juntos continuamente, até o fim da vida.
- ⋄ ... *não é uma forma de garantir fidelidade.* Ter sexo com seu marido não é um dever que você precisa cumprir para evitar que ele procure satisfação fora do casamento. Homens e mulheres foram formados com desejos sexuais *e com a capacidade de controlá-los* pela graça de Deus. Ao se

casarem, ambos assumem o compromisso de fidelidade. O sexo não foi criado para ser feito por medo e insegurança.

⋄ *... é apenas uma parte do casamento.* Sim, é uma experiência maravilhosa, desde as descobertas iniciais até a aconchegante familiaridade que se desenvolve com o tempo. E sim, fortalece a intimidade, mas essa intimidade precisa existir antes de ser fortalecida! Se, por algum motivo, houver períodos sem sexo no seu casamento, saiba que Deus continuará a abençoar e a aprofundar sua união.

Peça a ajuda de Deus para, desde já, manter o sexo no lugar certo em sua vida, em harmonia com toda a riqueza de outras experiências que você pode desfrutar em Cristo.

★ Alimento para sua semana ★

Primeiro dia
Por que é importante ter uma vida de bom senso e moderação em todos os aspectos, inclusive como preparo para vivenciar bem a sexualidade no casamento?
★ Leia Provérbios 2.10-15; 1Pedro 5.8;

Segundo dia
Em que passagem bíblica posso meditar quando eu me preocupar sobre como será a intimidade com meu marido?
★ Leia Lucas 12.22-26.

Terceiro dia
Se o bom sexo no casamento não é uma simples recompensa por eu ter me mantido virgem, qual deve ser minha motivação para esperar?
★ Leia Salmos 119.4; 147.11.

Quarto dia

Quais são duas virtudes importantes para a intimidade no casamento que, com a ajuda do Espírito, eu posso começar a cultivar hoje?

★ Leia Provérbios 3.3-4.

Quinto dia

O que deverá motivar meu marido e eu a manter nossos votos de fidelidade a Deus e um ao outro?

★ Leia Eclesiastes 5.4-5; Efésios 5.21-33.

Sexto dia

O que a descrição poética da Bíblia me mostra sobre a intimidade física do casamento? Qual deve ser um dos aspectos mais importantes dessa intimidade?

★ Leia Cântico dos Cânticos 5.1-16 (preste atenção em como o amado é descrito no v. 16).

Sétimo dia

Onde posso encontrar satisfação constante mesmo nos período em que a vida sexual no casamento não for espetacular?

★ Leia Salmos 16.11; 65.11; João 1.16.

SEMANA 38
Perdão e salvação

Ué? A gente não estava falando de sexualidade? O que perdão e salvação têm a ver com esse assunto?

O sexo é um presente incrível que Deus dá para seus filhos. Ao mesmo tempo, é uma das armas que o Inimigo usa com mais frequência para tentar nos afastar de nosso Pai, especialmente quando temos um "pecado de estimação" no qual caímos repetidamente (p. ex., pornografia, fantasias, excesso de intimidade física no namoro). Satanás procura nos convencer de que Deus se cansou de nos perdoar, de que estamos "vivendo em pecado" e "perdemos a salvação". Que grande mentira!

Viver em pecado é não reconhecer o senhorio de Jesus e se recusar teimosamente a obedecer-lhe. É algo que não acontece com uma pessoa salva, que tem o Espírito Santo dentro de si, pois ele não permite. Ele nos protege, nos ajuda, nos conduz pelo caminho certo.

Todas nós, porém, lutamos com alguns *pecados recorrentes*. São áreas de nossa vida em que parece mais difícil obedecer a Deus e confiar nele. Se você está sempre caindo no mesmo ponto, considere as seguintes questões:

⋄ Talvez você esteja tentando resistir à tentação com suas próprias forças, em vez de correr para Deus quando se sente tentada.

⋄ Talvez imagine que a santificação acontece de uma vez só quando, na verdade, ela é um processo.

⋄ Talvez tenha se esquecido de que, ao nos arrependermos de um pecado e o confessarmos, Deus nos perdoa, e começamos do zero.

- ⋄ Talvez precise da ajuda de outros cristãos para lidar com essa questão. Deus nos criou para crescermos juntos na fé.
- ⋄ Talvez precise tomar medidas práticas e criativas para fugir do pecado. Não adianta se colocar em situações de tentação e imaginar que algo diferente acontecerá. Além disso, vícios e compulsões precisam de tratamento psicológico e espiritual apropriado.
- ⋄ Talvez tenha se esquecido de que a salvação é para sempre. Você não pode perdê-la, pois é Deus quem a faz perseverar!

Estude as verdades da Bíblia sobre salvação e perdão e não deixe o Inimigo afastá-la do Senhor com mentiras. Apegue-se firmemente a nosso Deus de amor. Ele é santo, mas é perdoador. É justo, mas é misericordioso.

★ Alimento para sua semana ★

Primeiro dia
Qual é a promessa de Deus para mim caso eu venha a tropeçar em minha vida sexual?
- ★ Leia Salmos 37.23-24.

Segundo dia
Como Deus me trata quando me arrependo de meus pecados e peço perdão?
- ★ Leia Salmos 103.8-14.

Terceiro dia
De que devo me lembrar quando continuo a sentir culpa mesmo depois de ter confessado meu pecado e recebido o perdão de Deus?
- ★ Leia 1João 3.19-20.

Quarto dia

Mas não peco apenas de vez em quando. Caio repetidamente no mesmo erro! Como posso ter certeza de que não estou vivendo em pecado e que Deus não se cansou de mim?

★ Leia Lamentações 3.22-23.

Quinto dia

Que garantia eu tenho de que jamais perderei a salvação, não importa quão intensas sejam minhas lutas contra as tentações sexuais?

★ Leia 2Coríntios 1.22; Efésios 1.13-14.

Sexto dia

Sei que, além de aceitar o perdão e me apegar a minha salvação eterna, preciso tomar algumas providências para não continuar pecando. Quais são duas coisas que devo fazer diante da tentação?

★ Leia 1Coríntios 10.14; Tiago 4.7.

Sétimo dia

Como Jesus tratou uma mulher que foi pega em flagrante cometendo um pecado sexual? Que diferença isso faz para mim?

★ Leia João 8.1-12.

EXERCÍCIO DE FÉ

A glória de Deus no seu dia

Quando colocamos a glória de Deus no centro de nossa vida, todas as outras coisas (e isso abrange o sexo), passam a ocupar seu devido lugar, sem ser desprezadas nem transformadas em ídolos.

A glória divina é tão imensa que passaremos a eternidade admirando-a e vivenciando-a. Embora não a experimentemos de modo completo aqui na terra, temos vários "aperitivos" do que nos espera. Deus revela essa glória para você todos os dias. Aprenda a enxergá-la com este exercício:

1. Peça a Deus que abra seus olhos para as demonstrações de glória em seu cotidiano. Não espere efeitos especiais como os de cinema. O Senhor ajustará sua visão para que você enxergue a revelação dele até nas coisas mais minúsculas e aparentemente comuns.
2. Tire fotos de coisas belas que chamam sua atenção, especialmente na natureza. A criação reflete glória divina que está sempre disponível para nós. Se preferir, anote o que vir em um caderno. O Espírito a ajudará a se lembrar de cada imagem.
3. Perceba a glória de Deus na beleza de seu corpo. A riqueza de detalhes singulares reflete um Deus gloriosamente amoroso, minucioso, criativo e pessoal. Anote o que você observar.
4. Perceba a glória de Deus na vida de outros cristãos. Como corpo de Cristo, refletimos uma parte das características gloriosas do Senhor na comunhão da família de fé. Alguém foi consolado? Instruído? Apoiado? Restaurado? Registre por escrito.

Você *já* está cercada pela glória de Deus. Vá se acostumando, pois na eternidade haverá muito mais!

Além de equilíbrio em todas as áreas da vida, sabe quais são outros resultados de ver a glória de Deus no seu dia? Gratidão. Louvor. Adoração (Ap 4.8-11)!

O foco do treino é...

CORPO, SAÚDE E BELEZA

Onde termina a valorização saudável do corpo e da beleza e começa a idolatria e a vaidade? Para saber a resposta, é preciso entender o que Deus pensa desse assunto.

Nesta etapa do treino você vai aprender a:

- ◇ Enxergar-se como Deus a vê.
- ◇ Aprender a cuidar bem de seu corpo e a respeitá-lo.
- ◇ Apegar-se ao Senhor nos momentos de doença.
- ◇ Celebrar sua beleza sem ficar se comparando com outros.

Pode começar os alongamentos, pois este treino vai ser *power*!

SEMANA 39
O corpo *não é seu*

"O corpo é meu; sou eu que mando aqui!" Parece legal dizer isso, não? Dependendo do contexto, é uma forma de declarar liberdade, de rejeitar abuso ou de afirmar a importância de se cuidar.

Por mais que essas palavras façam você se sentir poderosa, elas estão muuuito longe da realidade. E, quando nossas ideias, atitudes e ações se baseiam em princípios falsos, os resultados sempre são desastrosos. Veja, portanto, algumas *verdades* importantes a respeito do seu corpo:

- Antes de o mundo existir, Deus determinou que você seria gerada e escolheu onde e quando isso aconteceria. Você não é obra do acaso, não é um acidente.
- O Criador participou de sua formação dentro do útero de sua mãe. Ele conduziu todo o processo e definiu todos os detalhes. Ele continua a manter você com vida e está profundamente envolvido com tudo o que acontece com seu corpo.
- Deus formou você com propósitos específicos e lhe deu um corpo apropriado para cumprir os planos dele. O *maior* propósito de sua vida é dar glória a Deus com todo o seu ser.
- Você nasceu escrava do pecado, condenada a permanecer eternamente separada de seu Criador. Mas, com imensa bondade e graça, ele comprou você de volta para ser dele e estar com ele para sempre.
- Qual foi o preço que Deus pagou para libertá-la do pecado? A vida de Jesus, que morreu em seu lugar. Ele se entregou por você na cruz para torná-la serva *dele*.

- ⬦ Se Deus criou e comprou você, significa que nem sua alma nem seu corpo são propriedade sua ou de qualquer outra pessoa. Pertencem a ele, e a mais ninguém.
- ⬦ E, se você pertence a Deus, é nele que está seu valor. Você é imensuravelmente estimada por seu Criador e Senhor. Sua identidade, seu respeito pelo corpo, sua responsabilidade de cuidar bem dele devem se basear nessa realidade.

Como é bom saber que todo o nosso ser pertence Àquele que nos criou, nos ama e nos conhece perfeitamente! Você tem vivido de acordo com essa realidade? Tem buscado sabedoria e capacitação para cuidar bem desse corpo formado de modo tão complexo e extraordinário para os bons propósitos do Senhor?

★ Alimento para sua semana ★

Primeiro dia

Mesmo que meus pais não tenham me planejado, como posso ter certeza de que não nasci por acaso?

★ Leia Isaías 43.5-7; 44.2.

Segundo dia

De que maneira Deus participou da minha formação quando eu ainda estava no útero? O que isso significa para mim?

★ Leia Salmos 139.13-16.

Terceiro dia

Quero acreditar que Deus me criou com propósitos específicos. Que palavras do Senhor para um de seus profetas se aplicam à minha vida?

★ Leia Jeremias 1.4-5; veja também Efésios 2.10.

Quarto dia

Qual é o maior propósito de minha vida, para o qual Deus me deu um corpo adequado?

★ Leia Romanos 11.36; Filipenses 1.11.

Quinto dia

Que direito Deus tem de me dizer o que eu posso ou não fazer com meu corpo?

★ Leia Romanos 6.16-22.

Sexto dia

Que preço Deus teve de pagar para me libertar da escravidão do pecado e me tornar serva dele? E que diferença isso faz para o modo como uso meu corpo?

★ Leia Gálatas 1.3-5; 1Timóteo 2.5-6.

Sétimo dia

Onde estão meu valor e minha identidade como pessoa? Como isso me motiva a cuidar bem do meu corpo?

★ Leia Colossenses 3.2-4.

SEMANA 40
Semente e árvore

Só de olhar para um caroço de pêssego, tem como alguém imaginar como são o tronco, as folhas e os galhos de um pessegueiro? Só de observar as sementinhas de um mamão dá para adivinhar a altura de um mamoeiro? Se você nunca viu uma dessas árvores, é impossível imaginar a aparência delas apenas com base em suas sementes.

A mesma ideia se aplica ao corpo que temos hoje e ao corpo que teremos na eternidade com Deus. Nosso corpo atual é como a semente, e nosso corpo eterno será como a árvore. Semente e árvore são ligadas uma à outra. Aliás, uma não existe sem a outra! Mas a aparência de uma não tem nada a ver com a da outra.

O corpo maravilhoso que o Criador formou para você usar na terra é apropriado para as oportunidades de serviço que o Senhor lhe dá aqui. Você foi criada de modo singular para contribuir com o reino de Deus de modo singular. Sua beleza única reflete e glorifica ao Senhor de um jeito que ninguém mais pode fazer. E é nesse corpo maravilhoso que habita o Espírito Santo, aquele que a ensina tudo o que você precisa saber sobre Deus e a capacita para realizar muitas boas obras planejadas por ele. Isso é motivo de sobra para você cuidar do corpo com grande carinho e respeito e ser imensamente grata por ele!

Ao mesmo tempo, seu corpo atual é temporário. Ele é apropriado para a vida aqui na terra, mas não serve para a eternidade na presença do Deus glorioso. Quando sua jornada neste mundo chegar ao fim, você receberá um corpo perfeitamente adequado para o céu. O processo de envelhecimento de seu corpo terreno é uma forma muito carinhosa de Deus lembrá-la de que você está sendo preparada, um pouquinho a cada dia, para o dia indescritivelmente magnífico em que você verá seu Criador face a face. Isso é motivo de sobra para não idolatrar o corpo que você tem hoje. Sua preocupação maior deve ser com seu coração, pois ele é eterno.

Peça que Deus a ajude a cuidar de sua "semente" com gratidão e equilíbrio enquanto espera pelo dia em que a "árvore" completa, com toda a sua beleza, será revelada na eternidade.

★ Alimento para sua semana ★

Primeiro dia
O que a Bíblia diz sobre o corpo que receberemos para viver no céu?
- ★ Leia 1Coríntios 15.35-38.

Segundo dia
Quais são algumas diferenças entre meu corpo atual e meu futuro corpo eterno?
- ★ Leia 1Coríntios 15.39-44.

Terceiro dia
Por que o corpo que tenho hoje não é apropriado para a existência eterna com Deus?
- ★ Leia 1Coríntios 15.45-50.

Quarto dia
A Bíblia fala de alguém com esse corpo ressurreto, apropriado para viver na glória?
- ★ Leia Lucas 24.36-43; João 20.19-20.

Quinto dia
Como posso ter certeza de que, um dia, terei um corpo glorioso?
- ★ Leia Mateus 13.40-43; Filipenses 3.20-21.

Sexto dia

Que diferença faz sabermos que este não é nosso corpo permanente?

★ Leia 2Coríntios 5.1-9.

Sétimo dia

Se eu vou receber outro corpo na eternidade, por que preciso cuidar deste? Ele é mesmo importante aos olhos de Deus?

★ Leia Gênesis 1.27; 1Coríntios 6.19.

SEMANA 41
Você é o que você come?

Já reparou no quanto falamos sobre comida? Tem aqueles que amam descrever sanduíches gigantes, bolos com recheios extravagantes, pizzas com toneladas de queijo derretido. Também tem os "naturebas" que fazem outros se sentirem culpados de comer qualquer coisa industrializada ou não orgânica. E tem o pessoal da dieta perpétua, que conta calorias até da água e sempre tem um truque para driblar a fome.

Com certeza, Deus não criou os alimentos para nos relacionarmos com eles dessas maneiras!

Até aqui, vimos diversas revelações da bondade de Deus: em amizades, casamento e família, na natureza, na vocação para servirmos e na bela complexidade de nosso corpo. Outra forma pela qual Deus mostra sua bondade generosa é na provisão diária de alimento.

Ele poderia ter projetado a nutrição para ser algo apenas funcional, tipo, um comprimido de calorias por semana. Em vez disso, criou alimentos com uma variedade quase interminável de cores, texturas, sabores, aromas e combinações. Por quê? Para nos mostrar, a cada refeição, que ele é a fonte de todo o nosso sustento e prazer!

Quando pensamos nos alimentos como mais uma forma de Deus se revelar a nós e mais um bom presente para nos alegrar e nos aproximar dele, começamos a vê-los com outros olhos. Aos poucos, entendemos que a comida é para manter a saúde do corpo e nos alegrar com sua variedade (em vez de quantidade). Ao nos sentirmos ansiosas e inseguras, escolhemos buscar paz e segurança no Senhor, e não em uma barra de chocolate.

Ao nos sentirmos vazias, confiamos que seremos preenchidas pela graça divina, e não por um hambúrguer.

Como todos os outros processos de transformação, a mudança da relação com os alimentos exige tempo, dedicação, operação do Espírito e, por vezes, pode ser necessário buscar ajuda de profissionais. É possível, contudo, deixar de ver a comida como nossa salvadora ou inimiga (ou as duas coisas), ou como algo que define nossa identidade, e lembrar que ela é expressão do amor de nosso Pai.

Como anda sua relação com a comida? Você crê que Deus pode ajudá-la a desfrutar esse presente de modo sábio e equilibrado?

★ **Alimento para sua semana** ★

Primeiro dia

Como posso ter certeza de que a comida não é minha inimiga, e sim, uma boa dádiva de Deus para me manter nutrida e saudável e para me dar prazer?

★ Leia Gênesis 1.29,31; Salmos 104.14-15; 107.8-9.

Segundo dia

Que promessas de Deus me ajudam a lembrar que não preciso buscar preenchimento e segurança em alimentos?

★ Leia Isaías 58.11; João 6.35.

Terceiro dia

Por que orar antes das refeições é um bom exercício de fé? Qual deve ser o tema central dessas orações?

★ Leia João 6.11; Efésios 5.20.

Quarto dia

Percebo que, às vezes, penso demais em alimentos, peso, dietas e coisas do gênero. O que preciso pedir que o Espírito desenvolva em mim?

★ Leia 1Coríntios 9.25; Gálatas 5.19-23.

Quinto dia

Qual deve ser minha atitude em relação àqueles que não comem certas coisas por motivos religiosos, mesmo que eu discorde deles? Como posso aplicar esse princípio a outras áreas da vida?

★ Leia Romanos 14.2-3,7-10.

Sexto dia

Qual deve ser meu objetivo maior ao desfrutar as boas dádivas de variedade e fartura de alimentos?

★ Leia 1Coríntios 6.20; 10.31.

Sétimo dia

Sei que a Bíblia usa a saciedade proporcionada por bebidas e alimentos como imagem para uma satisfação mais profunda. Que satisfação é essa?

★ Leia Salmos 63.5; João 7.37-39.

SEMANA 42
Ação e adoração!

Na Semana 16, conversamos sobre a necessidade de estudar e desenvolver nossas aptidões para servir ao Senhor. Essa é a dimensão *intelectual* do serviço no reino de Deus. Também há uma dimensão *física*.

Por meio do corpo, traduzimos em ações as ideias e os planos que Deus coloca em nossa mente e nosso coração. Para que isso aconteça, porém, precisamos de forças e boa saúde. Entra em cena a atividade física! Junto com a alimentação equilibrada e os cuidados básicos com o corpo, os exercícios garantem nossa disposição para curtir os presentes de Deus e trabalhar para ele no mundo ao nosso redor.

Exercício não é, portanto, a invenção cruel para nos atormentar nas aulas de educação física ou nos castigar depois de um churrasco. Ele é um *meio* usado por Deus para nos manter aptas para servi-lo. Aqui vão quatro dicas para ajudá-la a mudar sua forma de enxergar a necessidade diária de atividade física:

- ◇ *Cultive gratidão por seu corpo.* Lembre-se de que ele é uma obra de arte, magnificamente formada em todos os seus detalhes internos e externos. É uma grande dádiva ter um corpo capaz de se movimentar e de trabalhar para o Senhor!
- ◇ *Peça a Deus que lhe dê compreensão* cada vez mais profunda do amor, da graça, da bondade e da misericórdia dele. Refletir continuamente sobre quem Deus é e o que ele faz a encherá de alegria, e a alegria nos fortalece espiritual, mental e fisicamente!

✧ *Não confie em sua autodisciplina* para formar uma rotina de atividade física. Tome a decisão de se exercitar e, então, busque ajuda de Deus para colocar essa decisão em prática, um dia de cada vez.

✧ *Movimente-se* não apenas para manter-se saudável, mas também para adorar a Deus. Assim como louvamos ao Senhor com cânticos, também podemos exaltá-lo com a linguagem de nosso corpo. Crie coreografias para prestar culto ao Senhor. Não se preocupe se você leva jeito ou não. Sua plateia é de um só: o Pai que a ama incondicionalmente!

Você está disposta a buscar forças de Deus para manter uma rotina de atividade física como ato de serviço e adoração? O que você precisa pedir a ele para que isso aconteça?

★ **Alimento para sua semana** ★

Primeiro dia
Morro de preguiça de fazer atividade física! Onde encontrar ânimo para dar o primeiro passo?
★ Leia Josué 1.9; Isaías 40.28-29.

Segundo dia
Como ter uma atitude mais positiva em relação à necessidade de me exercitar diariamente?
★ Leia Colossenses 3.15; 1Tessalonicenses 5.16-18.

Terceiro dia
Que relação existe entre compreender a palavra de Deus, receber alegria dele e ser fortalecida em todos os aspectos, inclusive na disposição física?
★ Leia Neemias 8.8-12.

Quarto dia

Estou ligada que não adianta eu depender de autodisciplina para manter uma rotina de atividade física. De que eu preciso além de determinação?

★ Leia Salmos 9.10; 28.7; 1João 5.14.

Quinto dia

Que bom que dançar é uma forma de atividade física e de adoração! Qual é um exemplo bíblico de dança como adoração a Deus?

★ Leia 2Samuel 6.12-15.

Sexto dia

Como saber se minha rotina de atividade física está se tornando excessiva e tomando o lugar de momentos de descanso?

★ Leia Êxodo 20.9-11.

Sétimo dia

O que preciso levar em conta para não transformar a atividade física em um ídolo em minha vida?

★ Leia 1Timóteo 4.8; 2Pedro 3.10-11.

EXERCÍCIO DE FÉ

Obra de arte de Deus

"Ouvidos para ouvir e olhos para ver: ambos são dádivas do Senhor" (Pv 20.12).

Com essas palavras, Provérbios a ajuda a entender que, embora seu corpo pertença a Deus, é uma dádiva para seu uso enquanto você vive aqui na terra.

Seu corpo é valioso, pois mostra o tamanho do amor e do cuidado de seu Pai por você e também revela como ele a preparou com grande poder para cumprir sua vocação aqui na terra e servir como ninguém mais pode fazer (lembra-se de nossa conversa na Semana 19?). Essa realidade deve influenciar nossas escolhas e decisões em diversas áreas:

- como nos alimentamos;
- quanta atividade física realizamos;
- quão bem cuidamos da saúde;
- de que forma nos vestimos;
- como andamos, nos sentamos, gesticulamos;
- quanta intimidade física temos com outros;
- com quanta disposição ajudamos nas tarefas domésticas e nos trabalhos da igreja e da comunidade, e mil outras coisas mais.

Talvez você não curta todas as partes de seu corpo, mas a verdade é que *Deus* curte cada uma delas! Portanto, separe um tempo para refletir sobre isso, observar seu corpo como Deus o vê e expressar gratidão por essa obra de arte. Faça o seguinte exercício:

1. Feche-se no seu quarto ou em outro lugar em que tenha privacidade e não seja interrompida. Esta é uma atividade muito pessoal, entre você e Deus — e ninguém mais.
2. Coloque-se na frente de um espelho (quanto maior o espelho, melhor). Olhe para a imagem toda por alguns instantes com atitude de *curiosidade*, sem comparar, sem criticar. Feche os olhos e respire fundo e devagar várias vezes, concentrando-se no momento presente.
3. Peça a Deus que ele lhe permita enxergar seu corpo com os olhos dele, e não de acordo com o que o mundo ao redor lhe diz.
4. Em seguida, ainda diante do espelho, fique só com a roupa de baixo ou, se sentir-se à vontade, tire todas as roupas.
5. Começando pela pontinha dos pés, observe cada detalhe: o formato dos dedos e das unhas, da sola e do calcanhar e assim por diante. Vá subindo devagar, prestando atenção na textura e na cor da pele, nos poros, nos pelinhos, nos vasos sanguíneos, nas pintas, nas dobrinhas. Pense em sua capacidade de experimentar diferentes sensações na pele. Reflita sobre seus órgãos internos, que trabalham sem que você sequer perceba. Coloque a mão sobre o peito. Sinta-o encher-se de ar e esvaziar-se. Perceba o coração, que bate milhares de vezes por dia. Pense em sua capacidade de sentir cheiros e de ouvir. Abra a boca, observe a língua e os dentes. Reflita sobre a capacidade de sentir sabores e falar. Observe a cor e o formato de seus olhos. Pense na capacidade de ver. Observe o formato das orelhas. Pense na capacidade de ouvir. Considere todas essas coisas com calma, até chegar aos fios de cabelo no topo

de sua cabeça. Medite sobre o que seu corpo mostra a respeito do Deus que o criou e que o sustenta a cada momento.

6. Quando terminar sua observação, respire fundo novamente e diga "Obrigada" para Deus. E, para não se esquecer de todas as partes incríveis desse presente que é seu corpo, anote num papel o que mais lhe chamar a atenção. Descreva para si mesma sua beleza singular. Seja poética, se quiser: "Meus cabelos são escuros como uma noite sem lua", "Minha pele é lisa como seda", "Meus dentes parecem pérolas". Deixe a criatividade correr solta! Guarde esse papel junto com outros tesouros seus.

Da próxima vez que ficar insatisfeita com algo em sua aparência ou sentir-se tentada a se comparar com outros, releia suas anotações. Relembre o tempo que você passou na frente do espelho, apreciando a verdadeira beleza dessa obra de arte que Deus lhe deu.

SEMANA 43
Quando falta saúde

Neste mundo caído, estamos sujeitas a doenças e acidentes. Devemos lembrar diariamente, portanto, que boa saúde é uma dádiva do Senhor, para ser recebida com gratidão e usada com sabedoria.

Embora tenhamos uma participação importante na manutenção da boa saúde (falamos sobre isso nas Semanas 41 e 42), alguns problemas são inevitáveis.

Logo, precisamos entender que a maioria das enfermidades *não* é consequência de algum pecado específico, mas resultado de nossa condição humana aqui na terra. Ficar doente não é motivo para sentir vergonha ou culpa. Pelo contrário, é motivo para confiar ainda mais em Deus, pois ele pode abençoá-la de pelo menos quatro maneiras incríveis.

- ⬦ Primeiro, ele pode curar por meios naturais. Deus formou nosso corpo com uma extraordinária capacidade de recuperação e regeneração. Em alguns casos, precisamos apenas esperar e deixar que nosso organismo faça o trabalho dele. Remédios caseiros ou medicamentos receitados pelo médico podem fortalecer o corpo e ajudá-lo a trabalhar de modo mais eficaz, mas a cura acontece naturalmente.
- ⬦ Segundo, ele pode curar por meios humanos. Deus capacita pessoas para que exerçam profissões médicas, criem e produzam remédios e equipamentos e elaborem tratamentos. Nada disso seria possível sem a intervenção divina. Recorrer a médicos é, portanto, uma forma apropriada e sábia de cuidar de sua saúde. *Toda* cura é operada por Deus. Pessoas e tecnologias são apenas instrumentos usados por ele.

◆ Terceiro, ele pode usar meios sobrenaturais. Quando uma doença não tem cura por meios naturais do corpo nem por tratamentos, às vezes Deus intervém de forma sobrenatural e realiza um milagre.

◆ Quarto, ele pode escolher não curar. Nem sempre é da vontade dele restaurar a saúde. O importante nesses casos é entender que Deus abençoa a pessoa *no meio da doença*. Ele sustenta, dá alívio e se revela de maneiras muito especiais em meio ao sofrimento físico.

Quando lhe faltar saúde, descanse na verdade maravilhosa de que *nunca* faltará bondade, graça e misericórdia do Senhor em sua vida.

★ **Alimento para sua semana** ★

Primeiro dia
Além de fatores relacionados a alimentação, atividade física e descanso, quais são alguns outros elementos que podem afetar minha saúde física, mental e emocional?
★ Leia Provérbios 3.7-8; 13.12; 14.30; 17.22.

Segundo dia
Qual é a primeira coisa que eu devo fazer quando minha saúde não estiver 100%?
★ Leia Filipenses 4.6-7.

Terceiro dia
A Bíblia tem algum exemplo de alguém que não foi curado de imediato, mas continuou a ser fiel ao Senhor? O que aconteceu como resultado?
★ Leia Jó 2.7-10; 42.1-5.

Quarto dia

Sei que a Bíblia traz vários relatos de curas milagrosas e salvação espiritual. Onde encontro um bom exemplo de alguém que não apenas recebeu um milagre, mas também se aproximou de Jesus?

★ Leia Marcos 5.25-34.

Quinto dia

A que promessas posso me apegar, não importa o que aconteça com minha saúde?

★ Leia Isaías 41.8-10; Mateus 28.20.

Sexto dia

Qual é uma bênção especial que Deus pode me dar no meio de um problema de saúde?

★ Leia 2Coríntios 12.7-10.

Sétimo dia

Que atitude devo pedir que Deus desenvolva em mim quando me faltar saúde, quer eu receba cura quer não?

★ Leia Salmos 73.23-28.

SEMANA 44
Onde mora sua beleza?

Sabia que você é linda? É sério! Nem preciso conhecê-la para dizer isso.

Deus planejou e criou cada detalhe de sua aparência e de sua personalidade e formou cada célula do seu corpo com o maior carinho. Ele não faz nada mais ou menos. Resultado: você é linda! Você foi criada à imagem de Deus, para ser parecida com ele! Diante disso, onde mora sua beleza?

- ◇ *Não* mora em *blogs* e vídeos que dizem quanto você deve pesar ou que visual deve ter.
- ◇ *Não* mora no salão de beleza, onde é obrigatório cuidar da aparência para ninguém dizer que você "se largou".
- ◇ *Não* mora no *shopping*, com mil roupas, sapatos, cosméticos e outros produtos que custam caro e mudam a cada estação.
- ◇ *Não* mora naquilo que outros dizem ou pensam a seu respeito.
- ◇ *Não* mora no espelho da sua casa, onde você se olha à procura de defeitos ou se contempla cheia de vaidade.

Sua beleza mora no fato de que você foi criada por Deus com amor, a fim de viver para ele, do jeito dele. Mora no fato de que ele enviou Jesus para morrer por você, perdoar seus pecados e lhe dar uma vida de verdadeira satisfação com ele para sempre!

Descubra maneiras criativas de destacar a beleza natural que Deus lhe deu, sem tentar parecer outra pessoa. Vá ao salão para manter cabelos, unhas e pele saudáveis, mas não o transforme em um "templo" onde você presta culto à sua beleza. Ou cuide-se em casa, mas não deixe isso consumir todo o seu tempo e sua energia.

Vá ao *shopping* procurar elementos para um visual novo, mas faça suas compras com sabedoria divina, gratidão e consciência de que roupas e cosmético, quando bem escolhidos, apenas realçam a beleza que você já tem. E lembre-se de que a maior beleza (do lado de fora e de dentro) tem a ver com simplicidade e gratidão, e não com modismos e consumismo.

Ouça a opinião de outros com *muito* cuidado, pedindo que Deus lhe dê discernimento. E olhe no espelho somente para apreciar e agradecer a Deus pelo modo incrivelmente maravilhoso como ele a criou!

Procure sua beleza no lugar certo: em seu relacionamento com Deus e em sua identidade em Cristo!

★ Alimento para sua semana ★

Primeiro dia
O que Deus estava pensando quando imaginou e formou o ser humano (tipo, eu)? Que diferença isso faz para mim?
- ★ Leia Gênesis 1.26-27, 31.

Segundo dia
Quais devem ser os "óculos" pelos quais eu vejo minha beleza?
- ★ Leia Salmos 139.13-18.

Terceiro dia
O que preciso trazer à mente quando me sentir tentada a cuidar de minha aparência só para agradar, impressionar ou atrair outros?
- ★ Leia Gálatas 1.10; 1Tessalonicenses 4.1.

Quarto dia

Às vezes gostaria de ter um monte de dinheiro, para poder comprar mais roupas, sapatos e cosméticos e fazer uma porção de coisas para ficar lindona! De que verdades preciso me lembrar nessas horas?

★ Leia 1Timóteo 6.6-9.

Quinto dia

Qual é uma atitude que pode estragar minha beleza? Como devo buscar auxílio de Deus para que isso não aconteça?

★ Leia Provérbios 11.22; Salmos 143.8.

Sexto dia

Qual é uma característica do ser de Deus associada à beleza? O que isso significa para mim?

★ Leia 1Crônicas 16.29; Salmos 29.2; 96.9.

Sétimo dia

Que tipo de beleza Deus quer que eu cultive até o fim de minha vida aqui na terra?

★ Leia 1Pedro 3.3-4.

SEMANA 45
Diga não à comparação

A comparação é uma doença que mata a alegria e a gratidão. Quanto mais você se compara com outros, mais insatisfeita fica, até que sua vida parece não ter nada de bom. O coração se enche de sentimentos de inferioridade e, muitas vezes, de inveja. Felizmente, porém, existem alguns remédios para acabar com esse mal antes que ele acabe com você.

- *Remédio 1 — Singularidade:* Não existe ninguém no Universo inteiro igual a você. Deus imaginou e formou com amor cada detalhe de seu corpo e de sua personalidade. Ele tem propósitos e planos para você e lhe deu características específicas para realizar tudo o que preparou para sua vida.

- *Remédio 2 — Identidade 3A:* Não importa se você é tímida ou extrovertida. Não importa a cor ou textura do seu cabelo, nem o formato das suas sobrancelhas. Não importa seu peso, sua altura ou o tamanho dos seus seios. Não importa se você é boa ou péssima em esportes, música ou química. Não importa quantos amigos você tem nas redes sociais. Não importa como é sua família ou se você não tem família. Não importa onde você mora, que roupa veste, que lugares frequenta. Em Cristo você é 3A: Amada, Acolhida e Aceita por Deus. Sempre. Ao máximo. Absolutamente.

- *Remédio 3 — Eternidade:* A vida aqui na terra é só um pedacinho da sua história. Você tem um "para sempre" com Deus, a eternidade na companhia dele. O modo como você vive na terra é importante. Aqui, você começa a aprender a se relacionar com o Senhor e se prepara para o dia em que vai vê-lo pessoalmente. Mas as coisas neste mundo são passageiras: aparência, realizações, bens — nada disso vai durar para sempre. Sua identidade singular e seu relacionamento com Deus, em contrapartida, são eternos. E eles merecem muito mais atenção e cuidado.

Peça ajuda de Deus para dizer NÃO às comparações. Sempre que notar que está se comparando com alguém, tome esses três remédios. Se olhar para Deus em vez de olhar para os outros, vai encontrar cada vez mais alegria, contentamento e gratidão. E vai poder servir a Deus com dedicação e viver tudo de bom que ele preparou para você!

★ Alimento para sua semana ★

Primeiro dia

Sinto-me pressionada pelo mundo ao redor para me comparar com outros quanto a aparência, amizades, bens e sucesso. O que preciso ter em mente para resistir a essa pressão?

★ Leia Salmos 65.4; 2Tessalonicenses 2.13-14.

Segundo dia

Como posso ter certeza de que sou perfeitamente aceita, amada e acolhida por Deus? Que diferença faz me lembrar disso?

★ Leia 1João 3.1-3.

Terceiro dia

Quando me esqueço do tamanho do amor de Deus por mim, tenho tendência de julgar outros e me comparar com eles para me sentir superior. O que a Bíblia diz a esse respeito?

★ Leia Mateus 7.1-5.

Quarto dia

Às vezes, quando me comparo com outras pessoas, tenho inveja delas. Quais são alguns remédios para esse sentimento pecaminoso?

★ Leia Provérbios 23.17; 1Coríntios 13.4.

Quinto dia

Que exercício interior pode me ajudar a evitar comparações?

★ Leia 2Coríntios 13.5; Gálatas 6.4-5.

Sexto dia

Onde fica aquela parábola de Jesus que fala sobre a graça de Deus e nossa mania absurda de fazer comparações?

★ Leia Mateus 20.1-16.

Sétimo dia

Em lugar de me comparar com outros, o que a Bíblia me instrui a fazer?

★ Leia Efésios 5.1; Hebreus 6.11-12.

EXERCÍCIO DE FÉ

Louvar está sempre na moda!

Louvar e agradecer a Deus pela forma como ele nos criou (por dentro e por fora), como ele provê (quando temos muito ou pouco) e como ele cuida de nós (na saúde e na doença) é sempre um grande desafio! Com a ajuda do Espírito, porém, você continuará a aprender a ter cada vez mais contentamento em meio a todas as circunstâncias. Para expressar seu louvor, experimente este exercício usando como referência 2Samuel 22. Nessa passagem, Davi faz 3 coisas:

- ✧ Declara quem Deus é para ele (v. 2-4,33).
- ✧ Diz o que aconteceu com ele (v. 5-6).
- ✧ Conta o que Deus fez — a parte principal da canção de louvor (v. 10-21,44,51).

Use essas três partes da canção de Davi como inspiração para fazer uma *Trança de Louvor*:

1. Pegue três pedaços de cordão ou fita de uns 25 centímetros, cada um de uma cor diferente.
2. Amarre os três pedaços juntos com um nó.
3. Defina uma função para cada cor. Por exemplo: azul — quem Deus é para mim; vermelho — o que aconteceu comigo; verde — o que Deus fez por mim.
4. Comece a trançar. Sempre que mover a fita azul, diga a Deus quem ele é para você (p. ex.,: "meu Criador", "meu protetor"). Sempre que mover a fita vermelha, conte para Deus algum

desafio de seu dia (p. ex., "senti vergonha de meu corpo", "fui alvo de zombaria"). E sempre que mover a fita verde, pense no que Deus fez por você nessa situação ("Ele me lembrou de que me formou com amor", "Ele me consolou e deu forças").

Deixe o Espírito Santo guiar você nesses passos e, quando terminar a *Trança de Louvor*, transforme-a em marca-páginas para sua Bíblia, chaveiro, pulseira ou enfeite para sua mochila.

O foco do treino é...

SEU TEMPO LIVRE

A forma como você usa suas horas de folga tem um impacto enorme sobre sua vida espiritual. Por isso é tão importante fazer escolhas sábias de lazer e entretenimento.

Nesta etapa do treino você vai aprender a:

- ◇ Descansar de um jeito que faça bem para sua alma.
- ◇ Selecionar formas de entretenimento que alegrem o coração de Deus.
- ◇ Ter uma relação saudável com a internet e as redes sociais.
- ◇ Aproveitar ao máximo dois presentes maravilhosos.

Treinar para descansar parece coisa de doido, mas é algo que o Espírito quer ajudá-la a fazer!

SEMANA 46
Descanso é uma coisa espiritual

O que você faz no seu tempo livre? Como você descansa?

O verbo *descansar* tem vários significados: suspender uma atividade que exige esforço; acalmar-se; confiar; apoiar-se em alguém. Todos esses sentidos são ligados, de algum modo, às imagens de descanso que a Bíblia nos mostra.

Deus nos criou para sermos ativas e servirmos de várias maneiras em casa, na igreja e no mundo ao nosso redor. Ao mesmo tempo, colocou limites para nossas forças. Não somos "Meninas Superpoderosas" que devem trabalhar sem parar, feito máquinas. Precisamos de *descanso* em meio às nossas atividades. Esse descanso inclui as horas de sono durante a noite e as pausas ao longo do dia para saborear refeições, falar com amigos, observar a natureza e sonhar acordadas. Também inclui momentos de lazer e entretenimento e o tempo que passamos a sós com Deus. E, por fim (mas não menos importante!), abrange o tempo de aprendizado, adoração e comunhão com outros cristãos.

Quando quebramos a rotina de estudos, trabalhos e outras tarefas, seja por alguns momentos ou durante um dia inteiro da semana, temos oportunidade de:

- ⋄ Prestar atenção em coisas boas que Deus criou e nos presentes que ele nos dá. Percebemos que estamos cercadas pela bondade divina, e nosso coração trasborda de gratidão e louvor.
- ⋄ Lembrar que os resultados de nossos esforços vêm das mãos generosas do Senhor. Sem a ajuda dele, não conquistamos nada e não produzimos nada de valor eterno. A consciência desse fato inspira humildade.

✧ Exercitar confiança na provisão bondosa de nosso Pai. Quando deixamos o corpo e a mente recuperarem as forças, declaramos para Deus que ele é a fonte de tudo o que precisamos para viver. Aprendemos a saudável dependência.

Acima de tudo, porém, nosso descanso físico e mental deve ser lembrança contínua do maior descanso de todos: o espiritual. Cristo realizou tudo o que era necessário para nos salvar. Não precisamos fazer nada para merecer e manter a salvação ou para conquistar o amor do Pai. Aliás, não somos capazes de fazer nada. Em Cristo, Deus nos salvou para sempre e nada pode nos separar do amor dele. Resumindo: Cristo é nosso descanso!

★ Alimento para sua semana ★

Primeiro dia
Onde a Bíblia mostra que o tempo de descanso é um bondoso presente de Deus, e não uma simples obrigação?
★ Leia Mateus 12.1-8.

Segundo dia
Eu sei que a lei do Antigo Testamento, embora não se aplique mais diretamente a mim, ainda traz *princípios* para a jornada com Cristo. O que essa lei diz sobre o descanso?
★ Leia Êxodo 20.8-11; Deuteronômio 5.12-15.

Terceiro dia
Depois que Jesus veio ao mundo e cumpriu a lei do Antigo Testamento, existe um dia certo da semana para descansarmos?
★ Leia Colossenses 2.16-17; Romanos 14.5-10.

Quarto dia

Que exemplos importantes de descanso encontro na Bíblia e devo imitar?

- ★ Leia Gênesis 2.1-3; Marcos 6.30-32.

Quinto dia

De que verdades preciso me lembrar quando tiver vontade de descansar menos para fazer os dias renderem mais?

- ★ Leia Salmos 127.1-2.

Sexto dia

Quais são algumas consequências positivas de reservar um tempo para descanso como declaração de confiança em Deus?

- ★ Leia Isaías 58.13-14.

Sétimo dia

Que passagens bíblicas mostram que Cristo é meu descanso espiritual para sempre?

- ★ Leia Romanos 5.1-2; Apocalipse 14.13.

SEMANA 47
Lazer rima com prazer

Descanso e lazer saudáveis são presentes de Deus que podem enriquecer de monte sua jornada aqui na terra.

Por isso é importante usar seu tempo livre com sabedoria, para atividades que tenham a ver com a identidade singular que Deus lhe deu.

Resista à tentação de adotar diversões da moda sem questionar se realmente gosta delas ou se contribuirão para sua caminhada com Cristo. Por exemplo, suas amigas passam o fim de semana espalhadas no sofá assistindo à série X. Talvez a série X seja legal e, com certeza, esparramar-se no sofá por algumas horas é uma delícia! Na verdade, porém, você ficaria mais feliz dançando no seu quarto ao som de um louvor superanimado ou, quem sabe, fazendo um artesanato lindo para presentear alguém.

Não há problema em estar aberta para novas experiências, mas avalie e, se for preciso, resista a pressões para usar seu tempo livre com aquilo que você não gosta, ou que é incompatível com uma vida dedicada a Cristo.

Fique esperta, ainda, para aquela vontade de registrar tudinho para as redes sociais. Você vai à praia com sua família e só percebe que o mar existe porque aparece ao fundo de suas mil *selfies*? Tira duzentas fotos do acampamento ou de sua visita a uma ONG para postar depois?

Sim, é ótimo registrar belezas naturais, eventos e passeios para se lembrar deles e dividir com outros. Mas Deus lhe deu algo muito mais poderoso que uma câmera: sua memória! Nela, as cenas lindas e as boas experiências ficarão guardadas para o resto da vida, à sua disposição para serem revisitadas e compartilhadas. Para que isso aconteça, contudo, você precisará estar *presente no momento*, atenta para os detalhes de seus arredores. Memórias são formadas não apenas de imagens, mas também de sons, cheiros e mil outras sensações. Quando você presta atenção, seu cérebro guarda essa riqueza de informações como um pacote completo. E, o que é ainda mais gostoso: quando você está presente no momento, com seus sentidos receptivos, também percebe que Deus está ali!

Reflita se você tem usado seu tempo livre com sabedoria, se está conseguindo resistir a pressões e modismos. Avalie se seu lazer rima com prazer e se você está registrando boas memórias para o futuro!

★ **Alimento para sua semana** ★

Primeiro dia
Onde o lazer se encaixa nos propósitos de Deus para minha vida?
 ★ Leia Eclesiastes 3.11-14.

Segundo dia
Por que não posso usar a sociedade ao redor como referência para a quantidade e qualidade do meu lazer?
 ★ Leia Provérbios 10.23; Lucas 8.4-15 (veja especialmente o v. 14).

Terceiro dia
Às vezes é difícil lembrar que o mundo não é do tamanho da tela de meu celular. O que Jesus pode fazer por mim? Qual será o resultado da ação dele?
 ★ Leia Lucas 18.35-43 (veja o que o homem faz no v. 43).

Quarto dia

Por que separar momentos de lazer para curtir a natureza e agradecer pelas coisas lindas que Deus criou faz tão bem para minha alma?

★ Leia Salmos 19.1-6; 145.5.

Quinto dia

Às vezes, tenho dificuldade de *realmente* ficar atenta à criação. Tem alguma passagem bíblica na qual eu possa meditar para me tornar mais sensível às belezas naturais?

★ Leia Salmos 104.1-35.

Sexto dia

O que experimentamos quando estamos presentes no momento e nos conscientizamos da presença de Deus conosco?

★ Leia Êxodo 33.12-14.

Sétimo dia

Por que é importante cultivar prazer e descanso em coisas que agradam a Deus? Que benefícios isso traz para minha vida?

★ Leia Salmos 1.1-3.

SEMANA 48
É possível morrer de tédio?

Às vezes você tem aquela vontade de fazer algo suuuuperlegal, mas não sabe o quê? Tudo parece chato, o tempo se arrasta e, em vez de relaxar e se divertir, você fica mal-humorada?

Por vezes, essa sensação é resultado de exaustão física e/ou mental. Não temos energia nem para pensar em atividades de lazer. Esportes? *Hobbies*? Cursos? Só de ouvir, dá canseira! Nossa vontade é dormir ou vegetar no sofá. E, em alguns casos, é isso mesmo que precisamos fazer! Ao mesmo tempo, contudo, é bom avaliarmos, sob a direção do Espírito, como estamos administrando nossa agenda e se estamos criando períodos curtos de quietude e descanso ao longo dos dias para que não cheguemos ao fim de semana nos sentindo imprestáveis.

Em outras ocasiões, o tédio é relacionado ao modo como usamos nosso tempo livre. Em vez de misturarmos tipos diferentes de atividades, passamos horas a fio completamente desligadas da realidade. Nesses casos, o tédio pode ser resultado de pelo menos dois medos:

- ✧ *Medo de nosso mundo interior.* Temos vontade de distrair a mente o tempo todo porque não queremos sentir tristeza ou preocupação. Usar o entretenimento como fuga é tratar o sintoma em vez da causa. Precisamos conversar com cristãos mais maduros, que nos ajudem a entender por que temos medo de ficar a sós com nossos pensamentos e sentimentos.
- ✧ *Medo de estar perdendo algo.* Sabemos que há milhões de coisas acontecendo pelo mundo afora. Nossos amigos

estão conversando nas redes sociais, jogando *games on-line*, assistindo programas inéditos. Imaginamos que, se não acompanharmos isso tudo nos tornaremos alienadas e excluídas! Precisamos da ajuda do Espírito para identificar o que *realmente* merece nossa atenção e tempo.

Quando não conseguimos mais curtir coisas boas com moderação, quando sentimos necessidade delas com mais quantidade, intensidade ou frequência, é hora de pedirmos que Deus trabalhe em nossos apetites e ajuste-os aos prazeres que ele deseja nos proporcionar de forma equilibrada, saudável e que traga verdadeira alegria e descanso.

Avalie diante de Deus se você precisa fazer mudanças para curtir melhor seu tempo livre — sem tédio!

★ Alimento para sua semana ★

Primeiro dia
Quando sinto tédio ou insatisfação ao ficar desocupada, de que verdades preciso me lembrar?
★ Leia Salmos 39.4-7.

Segundo dia
O que é apropriado fazer quando não tenho energia física e mental nem para pensar em atividades saudáveis de lazer?
★ Leia 1Reis 19.1-7; Salmos 4.8.

Terceiro dia
Em vez de tentar fugir da realidade quando ela tem coisas que me deixam triste, como devo orar a respeito dessas dificuldades?
★ Leia Salmos 31.1-9,14,24.

Quarto dia

O que preciso levar em conta para aproveitar formas saudáveis de lazer com moderação?
- ★ Leia 1Coríntios 6.12.

Quinto dia

Estou sempre à procura de entretenimentos, pois morro de medo de não ter nada divertido para fazer nas horas livres. De que preciso me lembrar para que isso não se transforme em idolatria?
- ★ Leia Salmos 34.8-10; Filipenses 4.19.

Sexto dia

Por que não faz sentido eu procurar paz de espírito em formas de lazer que me desligam da realidade por horas a fio?
- ★ Leia João 14.27; Romanos 15.13.

Sétimo dia

Qual é a importância de eu ter momentos livres sem atividades e sem distrações, em que eu possa me acalmar e sossegar diante de Deus?
- ★ Leia Salmos 46.10; Isaías 30.15-18.

SEMANA 49
Diversão para curtir com Deus

Posso assistir a séries, filmes e vídeos? Ler livros, revistas e mangás? Ouvir músicas que não sejam *gospel*? Jogar *games*? Ir a *shows*, museus, cinema e teatro? E se o filme tiver cena de sexo? E se o *game* for de zumbis? E se...

À medida que cresce a variedade de opções, parece que também aumenta o número de decisões que temos de tomar sobre o que é apropriado para nós no contexto da jornada com Cristo. Não precisamos, contudo, de uma lista quilométrica e detalhada do que "pode" e "não pode". Em vez disso, precisamos dos *princípios* corretos para avaliar o que a mídia e a cultura nos oferecem. Aqui vão algumas considerações para ajudá-la em suas escolhas:

⋄ *Os talentos artísticos são dádivas de Deus.* Em sua graça, nosso Pai distribui a capacidade de criar coisas belas para pessoas de todos os tipos. Algumas usam seus talentos de forma agradável ao Senhor; outras não. Portanto, só porque algo foi produzido por um artista descrente não é motivo para ser colocado na lista de "não pode". E, só porque algo tem o rótulo *gospel*, não significa que é edificante.

⋄ *Há sempre uma mensagem.* Todas as formas de entretenimento nos transmitem ideias a respeito do mundo, das pessoas e, muitas vezes, de Deus. Com a ajuda do Espírito, é fundamental que identifiquemos a mensagem e avaliemos se ela é compatível com os padrões bíblicos.

⋄ *O relacionamento com Deus é sempre o ponto de partida.* Quando levamos a sério nosso compromisso com o Senhor, vivemos à luz de sua glória, e ela vai mudando aquilo que nos atrai. Às vezes, coisas que antes achávamos o máximo começam a ficar sem graça e abrimos mão delas naturalmente. Em outras ocasiões, porém, Deus precisa nos instruir e nos dar forças para realinhar nossos desejos com o coração dele. Ele faz isso à medida que estudamos a Bíblia e recebemos direção do Espírito para aplicá-la à vida diária. Ao crescermos em nossa compreensão do amor do Pai, também aumenta nossa vontade de agradá-lo.

Busque sabedoria do alto continuamente. Pense, avalie, converse com outros cristãos. E confie que Deus é o maior interessado em ajudá-la a fazer escolhas que o agradem.

★ Alimento para sua semana ★

Primeiro dia

Por que eu preciso basear minhas escolhas de entretenimento em princípios bíblicos, e não naquilo que a mídia recomenda ou que eu acho legal?

★ Leia Tito 2.11-14.

Segundo dia

O que deve caracterizar minha forma de pensar para que eu possa tomar decisões sábias sobre opções de diversão?

★ Leia Colossenses 3.1-2.

Terceiro dia

Onde diz na Bíblia que todas as coisas verdadeiramente boas vêm de Deus, mesmo que elas não sejam produzidas por cristãos?

★ Leia Tiago 1.16-17.

Quarto dia

A que promessa devo me apegar quando estiver em busca de formas saudáveis e edificantes de entretenimento?

★ Leia Mateus 7.7-11.

Quinto dia

De que maneira a comunhão com outros cristãos é importante para que eu aprenda a fazer escolhas sábias e mantenha o foco no lugar certo?

★ Leia Colossenses 3.16-17; 1Tessalonicenses 5.11.

Sexto dia

O que precisa acontecer para que Deus mude meu gosto por certas formas de entretenimento?

★ Leia Romanos 12.2; Efésios 4.17-24.

Sétimo dia

Que palavra de Deus me ajuda a confiar que ele é minha única fonte verdadeira de satisfação, alegria e prazer e, portanto, que todos os outros prazeres devem apontar para ele?

★ Leia Isaías 55.1-6.

EXERCÍCIO DE FÉ

Diga adeus aos ídolos

Em vários pontos do Antigo Testamento, em vez de os israelitas adorarem somente o Senhor, também prestaram culto a falsos deuses, como faziam as nações que viviam ao seu redor. Quando Deus libertou os israelitas da escravidão no Egito, avisou que a idolatria teria consequências tristes: os israelitas seriam expulsos da terra que Deus havia reservado para eles e levados como prisioneiros para um lugar distante. Depois de séculos em que o Senhor os chamou com amor e paciência ao arrependimento, foi exatamente o que aconteceu.

Um dos últimos profetas a transmitir mensagens de Deus ao povo de Judá antes de ser levado para a Babilônia foi Ezequiel, que também foi deportado como prisioneiro.

Por meio de visões, Deus mostrou ao profeta quão terrível tinha se tornado a infidelidade de seu povo. Quase todos tinham se esquecido do Deus verdadeiro e Todo-poderoso e estavam adorando falsos deuses, que não podiam fazer coisa alguma. Como resultado, o povo estava triste e perdido. (Leia Ez 8—11 para entender melhor.)

Muitas vezes, agimos como o povo de Judá. Fomos criadas para encontrar satisfação, ajuda e alegria somente no Senhor. Mas nosso coração tem a tendência pecaminosa de buscar essas coisas em outros lugares. O Deus que nos criou tem um amor tão imenso por nós que nos chamou para estar com ele para sempre. Quando essas verdades não criam raízes profundas em nosso coração, nos tornamos idólatras. Começamos a colocar outras coisas no lugar de Deus.

Em vez de buscar alegria e satisfação nele, nos empanturramos de entretenimento vazio. Em vez de depender dele, tentamos resolver os problemas com nossas próprias forças e inteligência. Em vez de confiar em sua provisão para o futuro, pensamos que uma boa faculdade, um bom emprego e um bom casamento nos darão segurança e felicidade permanentes. Não há nada de errado em desejar momentos de divertimento, uma profissão realizadora ou um casamento feliz. O problema é que, às vezes, imaginamos que não podemos viver sem essas coisas. Elas se tornam ídolos aos quais dedicamos o tempo, a energia e a atenção que deveríamos dedicar a Deus.

Separe alguns momentos para conversar com Deus sobre esse assunto. Peça ao Espírito que lhe mostre quais são os ídolos que você está adorando em seu coração neste momento. Lembre-se de que talvez sejam coisas legítimas e boas, mas que estão fora de lugar em sua vida, tomando muito tempo, consumindo energia ou despertando desejos que não podem ser satisfeitos de imediato. Em seguida, faça o seguinte exercício:

1. Você vai precisar de:

    ◇ Papel e lápis
    ◇ Um caixa com fósforos
    ◇ Uma tigela com água

2. Anote no papel os ídolos que o Espírito Santo a ajudou a identificar em sua vida.
3. Feche as cortinas e apague as luzes, de modo que o cômodo em que você estiver fique bem escuro. Acenda um fósforo e, com a ponta dos dedos, segure-o pela extremidade sobre a

tigela de água. Deixe a chama consumir o fósforo até você não conseguir mais segurá-lo. Solte-o na tigela de água.

4. Enquanto o fósforo queima, apresente um dos ídolos de sua lista para Deus. Declare que você abre mão dele e confia que o Senhor preencherá o espaço que aquele ídolo tem ocupado em seu coração. Repita com os outros itens da lista.

5. Reflita sobre a seguinte verdade: nossos ídolos são como a chama do fósforo, que dura pouco, gera uma luz fraca e, no final, ainda nos queima! Nosso Deus, em contrapartida, é "um fogo consumidor" (Dt 4.24; Hb 12.29) que ilumina todo o nosso ser. Ele é absolutamente santo e poderoso e merece toda a nossa adoração.

Fique atenta para aquilo que ocupa o centro de seu coração. Da próxima vez que notar a presença de ídolos ali, repita esse exercício e busque misericórdia e graça do Senhor.

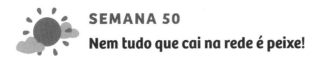

SEMANA 50
Nem tudo que cai na rede é peixe!

Como você já deve estar ligada, vida *on-line* e vida real não são duas coisas diferentes. As conversas que temos com amigos e as coisas que postamos nas redes sociais têm consequências reais. Os conteúdos que acessamos nos influenciam de forma real.

Deus pode usar *sites*, *blogs* e vídeos para abençoá-la imensamente, desafiá-la a fazer mudanças para melhor e lhe enviar ajuda em tempos difíceis. Também pode usar redes sociais para manter e fortalecer relacionamentos.

Para aproveitar bem esses excelentes recursos, aqui vão algumas dicas:

- *Seja sábia e discreta.* Não envie ou responda mensagens de forma impulsiva e irrefletida. E, antes de postar uma foto pense: "Se ela aparecesse em um telão para todos os meus familiares, irmãos da igreja e amigos, eu ficaria 100% tranquila?".
- *Seja coerente.* Aplique às suas interações *on-line* os mesmos princípios bíblicos que dirigem sua vida de modo geral. Por exemplo, não tenha com não cristãos conversas *on-line* que possam indicar interesse romântico. O princípio do "jugo desigual" também vale para redes sociais!
- *Seja autêntica.* Lugar de personagem é em filme e livro, e não em relacionamentos. Pegue leve na maquiagem, seja honesta em suas opiniões e não crie uma "personalidade paralela" para suas conversas *on-line*.
- *Seja gentil.* Ser honesta não significa ser grossa. Antes de comentar qualquer coisa, coloque-se no lugar da outra

pessoa. Se você não tem nada de amável para dizer, o silêncio é uma ótima opção!
◇ *Fique longe de tudo o que não edifica.* Não dê aquela primeira espiada em pornografia, não comece a assistir um programa obviamente violento. Não baixe nem assista conteúdo disponibilizado de forma ilegal.
◇ *Compare tudo com a Bíblia.* Nem todos os ensinamentos apresentados *on-line* são verdadeiros e bíblicos, mesmo que venham de personalidades conhecidas nos meios evangélicos. Procure se aprofundar diariamente no conhecimento da Bíblia de modo a ser capaz de fazer avaliações corretas.
◇ *Considere aquilo que mais importa.* O que Deus pensa de sua vida *on-line*?

Faça uma pausa agora mesmo e avalie, em oração, o quanto suas interações *on-line* estão refletindo seu compromisso com Deus.

★ Alimento para sua semana ★

Primeiro dia
Qual é um princípio bíblico que eu posso usar ao trocar mensagens e fazer postagens *on-line*?
★ Leia Provérbios 10.19-21.

Segundo dia
Por que é tão importante ser autêntica e dizer a verdade em todos os meus relacionamentos, o que inclui as interações *on-line*?
★ Leia Provérbios 12.22; Efésios 4.25.

Terceiro dia
Sei que ser honesta não significa ser grosseira. O que eu devo ter em mente antes de entrar em qualquer discussão nas redes sociais?
* ★ Leia Mateus 5.9; Colossenses 4.6; Tiago 1.19.

Quarto dia
É possível cultivar relacionamentos verdadeiros e fortes *apenas* por meio das redes sociais?
* ★ Leia 1Tessalonicenses 2.17-20; 2João 1.12.

Quinto dia
Não posso *mesmo* nem dar uma espiada em algumas coisas, só para matar a curiosidade?
* ★ Leia Salmos 101.3-4; Lucas 21.34.

Sexto dia
Por que minhas palavras e atitudes *on-line* são importantes para meu testemunho cristão?
* ★ Leia 1Pedro 2.11-17 (sujeitar-se às autoridades inclui não acessar e baixar conteúdo de forma ilegal!).

Sétimo dia
O que devo fazer com todo o conteúdo que acesso, mesmo que seja em *sites*, *blogs* e canais evangélicos?
* ★ Leia Atos 17.11; 1Tessalonicenses 5.21; 1João 4.1.

SEMANA 51
Ler para crer

De todas as formas legítimas e saudáveis de lazer, existe uma que deve ocupar um lugar especial na vida de quem anda com Cristo: a leitura!

O ato de ler, em si, não é algo espiritual. Afinal, você pode ler uma porção de coisas que não prestam, desde contos eróticos até manuais de bruxaria e histórias cheias de violência. No entanto, a leitura de *bom conteúdo*, segundo os padrões de Deus, inspira, motiva e influencia de maneira singular. A prova de que o registro escrito é incomparável em seu poder de nos transformar está no fato de que foi desse jeito que Deus escolheu se revelar a nós.

A natureza mostra muitos aspectos da "personalidade" do Criador, mas não é capaz de nos instruir sobre como devemos viver a fim de agradá-lo. Essa instrução nós só encontramos na Bíblia, um livro mais que especial.

Nas conversas que tivemos ao longo deste ano, falamos repetidamente sobre a necessidade de conhecer a Bíblia. E, um passo superimportante para fortalecer nossa fé por meio do estudo bíblico é desenvolver e manter o hábito de ler. Aqui vão alguns bons motivos para você levar esse assunto a sério:

- ⬦ Quando curtimos boa literatura como lazer, a leitura da Bíblia flui de modo mais natural. E Deus nos ajuda e desenvolver prazer em sua Palavra.
- ⬦ O hábito de ler melhora nossa capacidade de compreensão, especialmente quando pesquisamos palavras novas e nos esforçamos para entender a mensagem do texto. E, se interpretação de texto é importante para ENEM e vestibular, quem dirá para entender as instruções do Senhor para nós!

- A leitura contribui para desenvolvermos a concentração de que necessitamos não apenas para as tarefas diárias, mas, principalmente, para ouvir a voz de Deus.
- Ler histórias com personagens interessantes e inspiradores produz em nós mais compaixão e a capacidade nos colocarmos no lugar do outro e enxergarmos o mundo pelos olhos dele.

Priorize a boa leitura como forma de lazer e incentive seus amigos a fazerem o mesmo. Você descobrirá muitos outros benefícios em todas as áreas de sua vida, mas principalmente na jornada com Cristo. É ler para crer!

★ **Alimento para sua semana** ★

Primeiro dia
Como saber se um livro é bom e me influenciará de forma positiva?
★ Leia 1Coríntios 10.23; Filipenses 4.8.

Segundo dia
Noto que a boa leitura me leva a aquietar o corpo, desacelerar os pensamentos e aguçar a concentração. Que valor tem para a vida espiritual essa capacidade de me aquietar e pensar com calma?
★ Leia Salmos 131.1-3.

Terceiro dia
Quando me coloco no lugar dos personagens das histórias que leio, sinto que também vou aprendendo a ter mais empatia, compaixão e compreensão pelas pessoas ao meu redor. Por que isso é importante?
★ Leia Efésios 4.32; 1Pedro 3.8-9.

Quarto dia
Por que Deus escolheu se revelar a nós por meio da palavra escrita?
 ★ Leia Romanos 15.4; 2Timóteo 3.16-17.

Quinto dia
Que poder encontro na leitura da Palavra de Deus e que não está presente em nenhum outro livro, por melhor que seja?
 ★ Leia Salmos 19.7-11; Hebreus 4.12-13.

Sexto dia
Além de desenvolver o hábito de ler e estudar a Bíblia, o que mais preciso fazer?
 ★ Leia Josué 1.8; Salmos 1.1-2; 119.97.

Sétimo dia
À medida que meu relacionamento com Deus se aprofunda, o que experimento ao aprender sua Palavra e colocá-la em prática?
 ★ Leia Salmos 119.16,24,77,143,174.

SEMANA 52
O poder da imaginação

Para terminar este ano que passamos juntas conversando sobre a bondade e o amor de Deus, convido você a refletir sobre um dos presentes mais lindos que ele nos dá: a imaginação.

Imaginação é a capacidade de "ver com a mente" tanto aquilo que não existe como aquilo que existe, mas que não podemos enxergar com os olhos. A imaginação...

- ajuda-nos a visualizar coisas que aconteceram no passado e a pensar em como será o futuro.
- dá contornos a nossos planos, sonhos e projetos e nos estimula a correr atrás deles.
- permite que vejamos de modo vívido em nossa mente personagens e cenas de histórias, sejam eles reais ou fictícios.
- cria combinações de ideias, cores, sons, formas e mil coisas mais em expressões artísticas de grande beleza como músicas, pinturas, filmes, danças, livros, esculturas.
- leva-nos a outros lugares do mundo, ou mesmo do Universo, sem que precisemos sair de casa.
- e, quando guiada pelo Espírito, permite-nos enxergar o reino espiritual, aquela dimensão de nossa existência muito mais real e duradoura que todas as coisas visíveis. Desse modo, contribui para fortalecer nossa fé.

Deus se alegra imensamente quando usamos bem nossa imaginação e ele nos estimula a exercitá-la.

Você alguma vez se perguntou por que tantas partes da Bíblia são histórias? Por meio delas, Deus transmitiu algumas de suas verdades mais preciosas. Parábolas nos ajudam a refletir sobre quem ele é e como ele age. Relatos históricos nos chamam a participar de experiências que fiéis de milênios atrás tiveram com o Senhor. E assim aprendemos sobre o amor e a glória, o perdão e a santidade, o poder e a justiça de Deus. Tudo isso é possível graças à imaginação que ele nos deu. E, apesar de nossos pecados e perrengues aqui neste mundo, com auxílio da imaginação, voltamos o olhar para o futuro e nos enxergamos como o Pai nos vê: como filhas amadas e santas, adorando-o eternamente com a mais plena alegria.

Agradeça a Deus por esse presente fantástico. Escolha atividades que façam sua imaginação alçar voo e levá-la, na companhia do Espírito, a lugares em que a glória divina brilha intensamente!

★ **Alimento para sua semana** ★

Primeiro dia
Quem age sobre minha imaginação para que eu experimente os relatos bíblicos de modo pessoal, enxergue as verdades contidas em parábolas e visualize o mundo espiritual?
★ Leia João 14.25-27.

Segundo dia
De que maneira Deus usa minha imaginação para desenvolver a fé e a confiança nele?
★ Leia Efésios 1.16-21.

Terceiro dia
Embora minha imaginação seja um presente de Deus, sei que o pecado pode distorcê-la. O que devo fazer para não me deixar enganar por ela?
★ Leia Salmos 26.2; Provérbios 3.5-6; 28.26.

Quarto dia

Com que pensamentos devo alimentar minha imaginação para que ela contribua para minha caminhada com Cristo?

★ Leia Colossenses 3.1-3.

Quinto dia

Por que devo pedir ao Espírito que volte minha imaginação para as realidades espirituais invisíveis? De que maneira isso fortalece minha fé?

★ Leia 2Coríntios 4.17-18.

Sexto dia

Qual é uma boa passagem para eu usar minha imaginação quando me sentir ansiosa, triste ou sozinha?

★ Leia Salmos 23.1-6.

Sétimo dia

Qual é uma passagem que me ajuda a visualizar como será meu futuro eterno com Deus?

★ Leia Apocalipse 21.1-7,22-23.

EXERCÍCIO DE FÉ

Conheça, confie e descanse

Para usar bem nosso tempo livre, fazer escolhas sábias de entretenimento e verdadeiramente descansar no Senhor, precisamos confiar nele. E, para isso, precisamos conhecê-lo!

Uma excelente forma de conhecer melhor a Deus é refletir sobre seus nomes, pois eles mostram sua natureza e seu modo de agir. Leia Êxodo 3.1-15. Nesse episódio, Deus revelou um de seus nomes a Moisés: "Eu Sou o que Sou" (Êx 3.14). Isso significa que ele se basta. Ele é a origem e a finalidade de tudo.

Descubra novas dimensões do ser de Deus e da ação dele em sua vida com o seguinte exercício:

1. Você vai precisar de:

    ⋄ Oito pedaços pequenos de papel (cerca de 8 cm x 4 cm)
    ⋄ Canetinhas coloridas
    ⋄ Um pote pequeno

2. Nos pedaços de papel, copie os nomes abaixo e seu significado usando uma cor diferente para cada nome:

    ⋄ *El-Elyon*, o Deus Altíssimo (Gn 14.18).
    ⋄ *El-Roi*, o Deus que me vê (Gn 16.13).
    ⋄ *El-Shaddai*, o Deus Todo-poderoso (Gn 17.1).
    ⋄ *El-Olam*, o Deus Eterno (Gn 21.33).
    ⋄ *Javé*, o Senhor (Êx 3.15).
    ⋄ *Emanuel*, Deus conosco (Mt 1.23).

◇ *Abba*, Pai (Mc 14.36).
◇ *Encorajador* (Jo 14.16).

3. Dobre os pedaços de papel e coloque-os no pote.
4. A cada semana, pegue um papel e leve-o com você aonde for. Estude esse nome. Peça a Deus que lhe mostre o que significa *para você*. Todas as noites, antes de dormir, passe alguns momentos com Deus, pensando sobre quem ele é. Use sua imaginação para visualizar as implicações práticas do nome sobre o qual você está meditando.
5. Repita esse exercício com descrições de quem Deus é (p. ex., "Rocha", "Escudo"; veja Salmos).

E lembre-se: Deus *sempre* vai ser o mesmo!

Para continuar o treino

Da mesma forma que encontramos mais pique para manter uma rotina de atividades físicas e alimentação saudável quando temos companhia, também desenvolvemos nossa fé com mais ânimo quando contamos com a ajuda de outros membros do Corpo de Cristo.

Nosso ano de devocionais chegou ao fim, mas sua jornada com Cristo continua! Meu último desafio, portanto, é para que você forme um Círculo de Fé, onde você possa oferecer e receber apoio para prosseguir com força total.

Um Círculo de Fé não é uma panelinha. Também não é um programa oficial da igreja. É apenas um grupo em que amigas se sentem à vontade para dividir umas com as outras as alegrias e dificuldades da caminhada com Cristo. Nesse ambiente seguro, em que vocês assumirão o compromisso de cercar umas às outras com carinho, compaixão e humildade, será mais fácil colocar em prática muitas das coisas que aprendemos juntas neste livro.

A ideia é bem simples:

1. Convide três ou quatro meninas cristãs para formar um Círculo. Podem ser suas amigas chegadas, mas esteja aberta para a direção de Deus e disposta a incluir meninas que você não conheça tão bem.

2. Ao fazer o convite, deixe claro que o objetivo do Círculo de Fé é estudar a Bíblia juntas e ajudar umas às outras a praticar suas instruções na vida diária.
3. Combine encontros com a frequência que for possível para todas. Nesses encontros:

> ✧ *Se possível, sentem-se em um círculo.* Essa é uma lembrança de que vocês criaram um ambiente seguro, de confiança e liberdade para abrir o coração diante de Deus e receber o acolhimento e a aceitação umas das outras. Façam uma oração para que Deus as ajude a manter e fortalecer esse Círculo.
>
> ✧ *Façam uma leitura bíblica.* Escolham um livro da Bíblia e leiam aos poucos, alguns versículos de cada vez. É legal começar pelos Evangelhos!
>
> ✧ *Estudem juntas.* Conversem sobre aquilo que leram, procurando entender a mensagem de Deus. Tenham à mão dicionários, comentários bíblicos e Bíblias de estudo para ajudar na discussão. Cada uma pode trazer os recursos adicionais que tiver em casa.
>
> ✧ *Não fiquem na dúvida.* Se surgirem dúvidas durante o estudo, anotem em um caderno e perguntem para líderes e professores de sua igreja.
>
> ✧ *Compartilhem pedidos de oração e motivos de gratidão.* Cada participante pode falar de uma tentação que tem sido difícil de vencer. Se alguém tiver pecado, pode confessar para o grupo, agradecer pelo perdão de Deus e pedir apoio e intercessão para que não volte a acontecer. Lembrem-se de manter *segredo total*. O que é dito no Círculo, não sai do Círculo!

- *Orem juntas.* Busquem auxílio de Deus para praticar o que leram e apresentem os pedidos de oração.
- *Louvem, agradeçam e engrandeçam ao Senhor.* Se desejarem, reservem um tempo para cantar seus louvores prediletos.
- *Curtam a companhia umas das outras.* Durante o encontro, esforcem-se para manter o foco no compartilhamento espiritual. Deixem conversas sobre outros assuntos para o final. Aproveitem para fazer um lanchinho.

4. Durante a semana, mantenham contato para saber como anda a prática das instruções bíblicas. Se uma participante estiver passando por uma dificuldade, o restante do Círculo pode orar por ela e apoiá-la. Se algo bom acontecer na vida de alguém, todas poderão louvar a Deus juntas e celebrar!

Confie que, se for da vontade de Deus que você forme um Círculo de Fé, ele a guiará e encaminhará todas as coisas!

Que o Senhor a fortaleça a cada dia para completar bem a sua corrida e receber, alegre e vitoriosa, seu prêmio eterno na glória.

A gente se encontra lá no pódio!

Kisses,
Su.

E aí, alcançou seus objetivos?

Chegou a hora de louvar a Deus pelas muitas bênçãos que ele lhe deu durante os treinos deste ano.

Em um lugar tranquilo, coloque uma música suave de adoração. Feche os olhos, respire fundo algumas vezes e tome consciência do momento presente.

Com o espírito tranquilo, em atitude de gratidão, volte aos objetivos que você definiu lá no início do livro. Anote abaixo aqueles que você conseguiu alcançar de forma completa ou parcial. Agradeça a Deus por isso. Só cumprimos nossas metas com graça e capacitação divinas!

_____

_____

_____

_____

_____

_____

_____

_____

_____

_____

Avalie os objetivos que você não conseguiu alcançar. Será que Deus quer que você trabalhe neles outra vez no próximo ano? Ou será que não fazem parte do plano que ele definiu para esta etapa de sua vida?

Termine esse tempo com uma expressão pessoal de adoração ao Senhor. Se quiser, use como inspiração as palavras de Efésios 3.20-21:

> Toda a glória seja a Deus que, por seu grandioso poder que atua em nós, é capaz de realizar infinitamente mais do que poderíamos pedir ou imaginar. A ele seja a glória na igreja e em Cristo Jesus por todas as gerações, para todo o sempre! Amém.

Quer ler mais?

Quer ler mais sobre os assuntos que conversamos aqui
e muitos outros?
Quer falar com a Su?
Tirar uma dúvida ou enviar uma sugestão?
Visite
FaithGirlz: http://www.faithgirlz.com.br
e
De papo com a Su: http://depapocomasu.blog.br

Devocionais extras

Seu aniversário

E aí, você está superempolgada e cheia de planos para seu novo ano? Ou será que está um tanto pensativa, apreensiva ou ansiosa com essa etapa da sua jornada? Quem sabe um pouco de tudo?

Quaisquer que sejam os pensamentos e sentimentos dentro de você hoje, Deus tem um presente maravilhoso para lhe dar! Você só precisa pedi-lo, como fez o salmista:

> Ensine-nos a contar os nossos dias e usar bem nosso pouco tempo para que o nosso coração alcance sabedoria.
> Salmos 90.12 (*Nova Bíblia Viva*)

É provável que, no momento, você tenha a impressão de que sua estadia aqui na terra será muuuito looonga, quase sem fim. Claro que lhe desejo um zilhão de anos para servir ao Senhor e aproveitar bem todas as boas dádivas dele! Mas, se você comparar sua permanência neste mundo com sua existência no "para sempre" com Deus, vai concluir que, de fato, você tem pouco tempo aqui. O salmista entendeu essa realidade e, portanto, pediu o presente dele: Aprender a usar bem o breve tempo para desenvolver sabedoria. Esse é o segredo para experimentar *hoje* algumas das muitas bênçãos de alegria verdadeira e profunda satisfação que Deus reservou para toda a sua vida, tanto aqui como na eternidade.

A sabedoria a ajudará a enxergar o próximo passo no caminho que Deus traçou para você. Ela lhe dará bom senso para planejar seus dias e para dedicar forças e recursos a coisas que realmente valem a pena. Ela lhe mostrará como fazer boas escolhas em todas as áreas de sua vida e lhe dará firmeza em suas decisões. E a sabedoria lhe permitirá encontrar serenidade no meio das crises, pois a lembrará de que Deus está no controle, e não você.

Que Deus a ajude a viver com sabedoria que vem dele, juntando um dia ao outro como contas coloridas em um longo fio que vai contando histórias feitas no agora, com toda a sua diversidade, suas surpresas e sua riqueza de experiências do mundo ao redor e da graça divina.

Um aniversário verdadeiramente feliz para você, amiga!

Páscoa

Há um acontecimento da história de Páscoa que às vezes passa despercebido. Esse pequeno episódio tem, contudo, uma grande lição para nos ensinar.

> Depois que os soldados crucificaram Jesus, repartiram suas roupas em quatro partes, uma para cada um deles. Também pegaram sua túnica, mas ela era sem costura, tecida numa única peça, de alto a baixo.
>
> João 19.23.

Na época em que Jesus foi crucificado, os soldados que realizavam a execução repartiam entre si os pertences dos prisioneiros.

Jesus tinha uma valiosa túnica, e os soldados fizeram um sorteio para ver quem ficaria com ela.

Existem várias interpretações para essa "túnica sem costura" usada por Jesus. Uma das ideias representadas por ela é de *unidade*. Ela simboliza uma forma de viver que não separa as coisas de Deus das nossas atividades do cotidiano.

Já imaginou como seria experimentar cada momento como uma dádiva do Criador? Como seria aceitar cada acontecimento (agradável ou difícil) como parte dos bons propósitos de nosso Pai? Como seria entender que não existe coisa alguma em nós que esteja fora do alcance ou do interesse dele? Como seria buscar, em tudo, pensar e agir conforme as verdades que sabemos a respeito de nosso Salvador e Senhor?

É isso que Deus quer para nós!

Nossa tendência natural é viver a vida como se fosse uma colcha de retalhos. No domingo tem um pedaço de tecido que reservamos para a "espiritualidade". Ao lado dele costuramos outros pedaços de tecido para família, amizades, estudos, romance, carreira e diversão. Entre eles colocamos retalhos bem grandes de nossos interesses e planos. E vamos costurando...

No entanto, Cristo morreu e ressuscitou para que tenhamos uma existência em que *ele* vai tecendo todos os nossos dias em um pano só, sem divisões, sem remendos. Sem a separação entre "coisas de Deus" e "minhas coisas". Tudo é por ele e para ele.

Aproveite o tempo de Páscoa para se lembrar do preço que Cristo pagou para lhe dar uma vida sem costuras. Busque a graça divina necessária para dedicar *tudo* a ele.

Alegres celebrações da ressurreição para você e sua família!

Natal

A Palavra se tornou ser humano, carne e osso, e habitou entre nós.
João 1.14.

"Palavra" era um título usado para indicar uma grande força, que criou e sustentava o Universo, que sempre existiu e tinha todo o conhecimento e poder. O apóstolo João diz para nós que Jesus é essa "Palavra". Ele é o Todo-poderoso, que formou e sustenta cada coisa que existe. E sabe o que ele fez? Deixou sua vida gloriosa no céu, se tornou como nós e veio morar conosco! A Bíblia diz que ele "se esvaziou a si mesmo; assumiu a posição de escravo e nasceu como ser humano" (Fp 2.7).

No Natal, recordamos que Jesus veio morar em nossa vizinhança. Veio comer e beber, conversar e rir, cantar e dançar conosco. Veio sentir nossas dores, cansaços e tristezas, tratar das enfermidades do corpo e da alma. Acima de tudo, veio nos dar vida sem fim. Consegue *começar* a imaginar o que isso significa? Pense em tudo o que você tem de mais precioso. Agora pense em como seria colocar de lado tudo isso e tornar-se uma humilde escrava. Essa é apenas uma pontinha minúscula da experiência de nosso Salvador e Senhor.

E, como se isso não bastasse, antes de Jesus voltar para seu lar, ele prometeu: "Na casa de meu Pai há muitas moradas. [...] Vou preparar lugar para vocês e, quando tudo estiver pronto, virei buscá-los, para que estejam sempre comigo, onde eu estiver" (Jo 14.2-3).

Jesus deixou as ricas mansões dele no céu e veio morar conosco para que, um dia, possamos morar com ele para sempre!

Vivemos em tempos de crises e de incerteza. A sombra da pobreza e da necessidade paira sobre muitas famílias. Dentro dessa realidade, é muito bom sabermos que Cristo está preparando nossa habitação permanente. Que essa lembrança nos dê generosidade para dividirmos com outros o que temos aqui — seja muito ou pouco. E que, com a ajuda do Espírito, continuemos a nos preparar para o dia em que mudaremos de endereço de uma vez por todas e estaremos com nosso querido Jesus para sempre!

Um feliz Natal para você e sua família!

Soli Deo Gloria

Compartilhe suas impressões de leitura,
mencionando o título da obra, pelo e-mail
opiniao-do-leitor@mundocristao.com.br
ou por nossas redes sociais

Esta obra foi composta com tipografia Bree e Bree Serif
e impressa em papel Offset 75 g/m² na gráfica Imprensa da Fé